Heiteres und Weiteres

Vergnügliche Geschichten

RICHARZ GESCHENKBIBLIOTHEK

Bücher in großer Schrift

Heiteres und Weiteres

Vergnügliche Geschichten

Richarz Geschenkbibliothek
Verlag CWNiemeyer

CIP-Titelaufnahme der Deutschen Bibliothek

Heiteres und Weiteres : vergnügliche Geschichten. –
7. Aufl. – Hameln : Niemeyer 1991
(Richarz Geschenkbibliothek, Bücher in großer Schrift)
ISBN 3-87585-727-5

7. Auflage 1991
Satz: Richarz Publikations-Service, Sankt Augustin
Druck und Bindung: Ueberreuter Buchproduktion, Korneuburg
Printed in Austria
ISBN 3-87585-727-5

INHALT

Walter Slezak
Meine Erlebnisse mit Kannenmacher 7

Lawrence Durrell
Das Fest auf dem Fluß 16

M. Y. Ben-gavriêl
Neger mit Sommersprossen 32

Ernst Kreuder
Bis das Lösegeld kam 42

Siegfried Lenz
Der Ostertisch 49

Hermann Claudius
Grünhöker Grimpen 60

Hans Fallada
Gänseeier im Gehirn 67

Eugen Skasa-Weiß
Häßliche unter sich 76

Sigi Sommer
Kleine Reise rings im Kreise 83

Helmut Seitz
Rezept gegen Haferlgucker 88

Hans Reimann
Mit Karl Valentin auf den Wendelstein 92

Jerome K. Jerome
Mein Onkel Podger 104

E. P. Butler
Schwein ist Schwein 111

Ephraim Kishon
Kettenreaktion 123

Günter Neumann
Herr Kummer erzählt einen Witz 133

Simon Carmiggelt
Hallo, Taxi ! – Konfitüre im Grindelwald 138

James Thurber
Walter Mittys Geheimleben 146

W. Somerset Maugham
Die Weihnachtsreise 158

WALTER SLEZAK (1902 bis 1983) Filmschauspieler und Sänger, hat ebenso wie sein berühmter Vater Leo Slezak seine Lebenserinnerungen höchst humorig aufgezeichnet, und zwar in dem Buch «Wann geht der nächste Schwan«. Diesem Buch ist das nachfolgende Kapitel entnommen, in dem er über seine Erlebnisse als Filmheld in der Stummfilmzeit der zwanziger Jahre berichtet.

WALTER SLEZAK

Meine Erlebnisse mit Kannenmacher

Ein Mann, der Rauch, Wolken, Explosionen, Kanonenschüsse und Feuerwerke hervorzubringen imstande ist, wird Pyrotechniker genannt. Einer der berühmtesten, der lange vor dem letzten Krieg in Österreich und Deutschland sein Unwesen trieb, hieß Kannenmacher. An seiner rechten Hand hatte er einen ganzen und zwei halbe Finger, an seiner linken nur mehr zwei Finger. Den Rest hatte er sich wegexplodiert. Auch ein Teil seiner Nase fehlte. Er war ein lieber, ruhiger, phlegmatischer Mann, der anscheinend nur einen Fehler hatte: er ging stets mit der brennenden Zigarre ins Pulvermagazin.

Er war es, der an »Sodom und Gomorrha« mitarbeitete. In den ersten Wochen schon produzierte er einen Erdrutsch so realistisch, daß die Erde nicht zu rutschen aufhörte und über die Kameras glitt. Eine Szene bestand darin, daß Lucy und ich vor dem Zerstörungsbrand von Sodom und Gomorrha fliehen. Kertesz hatte einen Regieeinfall: »Also hör zu, junge Bursche –« (er konnte sich meinen Namen nicht merken und nannte mich immer nur »junge Bursche«), »du und Lonscy (so nannte er Lucy), ihr springt auf Floß – und wenn ihr seid inmitten von See – kommt kleine Sturzwelle und dreht um das Floß. Dann nimmst du Lonscy auf Rücken – und schwimmst!«

Ich war begeistert, meine sportlichen und athletischen Fähigkeiten zeigen zu dürfen – aber Lonscy, die ein erfahrenes und deshalb mißtrauisches Filmschlittenpferd war, fragte vorsichtig: »Wer macht kleine Sturzwelle?«

Bei der Nennung des Namens Kannenmacher ertönten einige entsetzte Ausrufe, die je nach der Konfession der Rufer zwischen »Jesus, Maria und Joseph«, «Oi weh« und »Allah, sei bei uns« schwankten.

Lonscy verlor die Ruhe nicht: »Ich möchte kleine Sturzwelle vorher sehen«, sagte sie ganz freundlich.

Mischka knirschte mit den Zähnen: »Edes – – – die Sonne geht uns weg! Nütze Situation, daß wir geheiratet sind, nicht aus – – – sei lieb, sei vernünftig – – – geh auf *gottsverfluchtes* Floß!« Das letzte brüllte er.

»Ich will kleine Sturzwelle sehen«, sagte sie mit ihrer kleinsten, kindlichsten Stimme.

Mischka sah sie lange an – ich dachte, jetzt werde er sie töten; aber es barst nur eine Flut von ungarischen Flüchen und Schimpfworten aus ihm, die in einem resignierten: »Also man soll Kannenmacher rufen«, erstarben.

Dieser kam, lächelnd über unsere überflüssige Sorge. In seinem schönsten Berlinerisch sagte er: »Na, wissen Se, da is ja nischt dabei – da ha' ick en bisken Schwarzpulver in 'ne Kanne ins Wasser jetan – und wenn det Floß über der Stelle is – denn entzünde ick es, und da kommt 'ne kleene Welle, und det Floß wird sich sachte uff die Seite lejen. Det brauchen Sie doch nich vorher zu sehen?«

»Ich will Sturzwelle sehen«, erklang es zart aus Lonscy.

Kertesz war weggelaufen, schlug sich in asiatischem Temperament mit den Fäusten auf die Stirne und röchelte Unfreundlichkeiten gegen sein ihm vor Gott angetrautes Eheweib. Da mischte sich der Produktionsleiter ein, der einsah, daß man gegen solche weibliche Hartnäckigkeit nicht ankomme: »In Gottes Namen, bevor wir noch mehr Zeit verlieren!«

Das Floß wurde mit Sandsäcken, die unserem ungefähren Körpergewicht entsprachen, beladen und an einer Schnur über die Stelle gezogen, wo

Kannenmacher »det Schwarzpulver« in der Kanne im Wasser versenkt hatte. Nonchalant drückte er auf den Hebel des Zündkastens.

Eine fünfzig Meter hohe Stichflamme, begleitet von einer hundert Meter hohen Wassersäule und einem unvorstellbaren Explosionsgeräusch war das Resultat. Als der Rauch sich verzogen hatte und die Wassersäule in sich zusammengesunken war, bemerkte der interessierte Zuschauer, daß kein Floß mehr da war; dafür aber regnete es eine Minute lang Kleinholz und nasse Erde. In das lähmende Entsetzen, das alle Beistehenden gepackt hatte, hörte man plötzlich Kannenmachers Stimme: »Nee, is det aber ulkig – da muß ick mir wohl jeirrt haben; ick gloobe, ick habe statt Schwarzpulver Ekrasit jenommen.« Dann zündete er sich seine Zigarre, die durch den Wasserregen ausgegangen war, wieder an und schlenderte ins Pulvermagazin, um eine neue Sturzwelle zu kreieren.

Lonscy war aufgestanden und ging auf Mischka zu: wir alle traten zurück, um Platz für den Kampf zu machen. Sie standen einander gegenüber wie eine Kobra und ein Mungo. Dann brach aus ihnen ein Strom von ungarischen Obszönitäten, die meine Sprachkenntnisse unerhört erweiterten und ergänzten.

Einige Jahre später traf ich Kannenmacher wieder. Es war in Berlin; ich spielte die Hauptrolle in einem Film »Der Fahnenträger von Sedan«, in dem ich allein und nur durch Schwingen einer Fahne die Schlacht von Sedan gewann. Historisch ist das zwar anfechtbar; aber es galt für filmisch wirkungsvoll.

An dem Tage, als wir auf dem Tempelhofer Felde die große Schlachtszene filmten, war ich schon früh auf dem Gelände. Zwölfhundert Statisten waren engagiert, von denen sechshundert in deutsche und sechshundert in französische Uniformen gesteckt waren. Aber alle sprachen sie das gleiche Berlinerisch. Artillerie und Kavallerie waren vertreten, und zehn Kameras waren auf hohen Gerüsten verteilt, so daß man die Schlacht von verschiedenen Punkten aus und in allen Phasen gleichzeitig fotografieren konnte. Ein kleiner Aussichtsturm war für den Regisseur und seine Assistenten gebaut, die von dort aus die Schlacht durch Brüllen in ein Megaphon leiten sollten.

Unzählige Garderobiers liefen herum, rückten Tschakos zurecht und zupften an Uniformen, ein militärischer Sachverständiger eilte von einem zum andern und zeigte, wie man eine Muskete hält, und sorgte auch dafür, daß die Säbel an der linken Seite getragen wurden und nicht um den Hals und daß Epauletten nicht an den Hut und Orden nicht an die Schulterblätter geheftet wurden. Wohl über fünfzig Friseure stutzten Bärte, klebten Schnurrbärte und arrangierten Perücken. In all dem Durcheinander sah ich plötzlich einen kleinen Mann, der unter einer halben Nase ruhig eine Zigarette rauchte. Ich stürzte auf ihn zu: »Kannenmacher, was tust du hier?«

»Tach, Slezak, mein Junge! Wie jeht's dir denn? Siehst ja blendend aus – ick höre von allen Seiten, daß . . .

»Kannenmacher, lenk nicht ab!« unterbrach ich ihn ganz brutal, »ich will wissen, was du hier machst. In welcher Eigenschaft bist du hier? Doch nicht etwa als Pyrotechniker?«

»Ach weeste – nicht direkt –«, er lachte fröhlich und wies mit seiner verstümmelten Hand auf Hunderte kleiner Erdhügelchen, die über das »Schlachtfeld« verteilt waren. »Ick mache da bloß een paar kleene Einschußeffekte.«

Ich war grün vor Mißtrauen!

»Det sind ja nischt wie kleene Knallerbsen, die ick da verjraben habe, und wenn die losknallen, so steigt 'ne kleene Rauchwolke auf, und im Kintopp sieht det aus wie een Schrapnelleinschlag!«

Einige Statisten hatten sich zu uns gesellt, und ein bärtiger Ulane flüsterte mir ins Ohr: »Passen Se uff, Herr Slezak, wenn so 'ne Knallerbse Ihnen zwischen die Beene losjeht, sind Se die juten Sachen los – da könn' Se sich 'ne neue Stellung suchen – in'n Harem, als Eunuch!«

Diese Möglichkeit machte mich erblassen. »Kannenmacher«, sagte ich entschlossen, »ich will, daß du so eine Knallerbse für mich explodieren läßt!«

»Ja Mensch, haste denn gar keen Vertrauen in mir? fragte er verletzt.

»Nein!!!«

Bei der Demonstration schoß eine fünfundzwanzig Zentimeter hohe Flamme aus einer Rauchwolke und versengte einem zu nahe stehenden Statisten die Hose.

Im Privatleben bin ich kein Held, das heißt, ich begebe mich nie in Gefahr. Deshalb ging ich zum Requisiteur und ließ mir ein dünnes Blech in die Hose einsetzen, was zwar unbequem war und meinen Gang in den eines alten Reitergenerals abwandelte, aber Schutz gegen die Knallerbsen bot. Dann ließ ich mir vom Regisseur ganz genau die Route zeigen, auf der ich, als Held von Sedan, die Fahne schwingend, meine Truppen zum Sieg führen mußte. Die Statisten in den deutschen Uniformen wurden instruiert, mir genau zu folgen und hinter mir zu bleiben, damit das heroische Bild, daß alle der Fahne folgen, nicht gestört werde. Ich meinerseits aber hatte mir vorgenommen, erst an die Knallerbsen heranzulaufen und über sie drüber zu steigen, *nachdem* sie explodiert waren.

Die Strategie war sehr einfach: die beiden

Armeen sollten im Laufschritt aufeinander zulaufen und in der Mitte des Feldes aufeinanderprallen. Der Schlachtruf ertönte, der Regisseur auf seinem Aussichtsturm gab einen Startschuß ab, und es ging los: die Franzosen kamen uns im Laufschritt entgegen; aber ich wartete immer drei Meter vor jedem Erdhügelchen, von einem Fuß auf den anderen tretend, bis das dumme kleine Ding vor mir losging. Erst dann ging ich mit Elan weiter. Bis ich zum nächsten Erdhügel kam. Die Wartezeit kaschierte ich mit wilder Spielastik – ich brüllte: »Mir nach – folgt der Fahne, Kameraden – ich führe euch zum Siege«– und ähnlichen Unsinn, denn der »Fahnenträger von Sedan« war noch ein Stummfilm. Der Regisseur war einem Schlaganfall nahe – er schrie und brüllte durch sein Megaphon, ich solle vorwärts gehen, aber ich rührte mich nicht vom Fleck, solange ich Gefahr vor mir unter den Erdhügeln sah.

Wir »Deutschen« hatten noch keine hundert Meter zurückgelegt, als die »Franzosen« uns schon erreichten. Meine einzige Sorge in dem Durcheinander war, die Fahne hoch genug zu halten, damit sie von den Kameras erfaßt werden konnte. Hilfsregisseure schwärmten auf Seitenlinien, außerhalb des Blickfeldes der Kameras, aus und veranlaßten die »Franzosen« zum Rückzug. Wir gewannen die Schlacht von Sedan!

Am nächsten Tag sah der Generaldirektor

unserer Firma den Film, den wir gedreht hatten, im Vorführungsraum. »Großartige Idee«, strahlte er, »die Franzosen sich im sinnlosen Lauf erschöpfen zu lassen gegen die langsam heranziehende Wand der Deutschen !«

Ich schäme mich, berichten zu müssen, daß unser Regisseur zustimmend nickte und die Lobeshymne mit gebührender Bescheidenheit entgegennahm.

Ebenfalls in den zwanziger Jahren spielt das nachfolgende Stück von LAWRENCE DURRELL (1912 bis 1990), der durch seine großartige Alexandria-Tetralogie berühmt wurde. Hier gibt er ein kleines Kabinettstück englischen Humors mit der Schilderung einer Diplomaten-Party im Balkanesien der damaligen Zeit, seinem Buch »Esprit de Corps« entnommen.

LAWRENCE DURRELL

Das Fest auf dem Fluß

Die Amerikaner veranstalteten ein Mondschein-Schwimmfest auf der Insel Spam. Aber es war kein großer Erfolg. Die Diplomaten schwammen geschlossen in einen Schwarm Quallen, und ein Sonderflugzeug mußte gechartert werden, um denjenigen, die von den Biestern gebissen worden waren, Medikamente zu bringen. Die Italiener, die nicht zurückstehen wollten, gaben eine Party in einer von Kirschbäumen umgebenen Klosterruine – also wirklich sehr pittoresk. Leider hatten sie nicht mit dem spätsommerlichen, panslawischen Moskito gerechnet. Eine entomologische Rarität, die man nicht außer acht lassen sollte. Der Moskito ist das einzige Tier, das ich kenne, dem es in einem einzigen eleganten Schwung gelingt, durch Hose und Unterhose zu stechen. Wir alle kamen mehr oder weniger angeschwollen nach Belgrad zurück. Danach arrangierten die

Finnen ein Konzert serbischer Volksmusik, zu dem die Kapelle betrunken erschien. Schließlich fand es auch Polk-Mowbray an der Zeit, sich schöpferisch zu betätigen. Er schickte einen Laufzettel herum mit der Bitte um Anregungen.

Ich glaube, es war de Mandeville, der ein Fest auf dem Fluß vorschlug. Sicher nicht Benbow. Er war den Winter über eher bedrückt gewesen. Zwar hatte er uns seine hellseherischen Fähigkeiten und seine Begeisterung für Astrologie gebeichtet, aber abgesehen davon hatte er sich äußerst zurückhaltend benommen.

Die Idee mit dem Fluß war gar nicht so schlecht. Im Winter treiben Baumstämme die Save herunter, bis das Eis sie einschließt; im Frühjahr, wenn es zu tauen anfängt, stauen sie sich unter den überhängenden Weiden entlang dem Ostufer und bilden eine Art Ponton über den sumpfigen Uferrand, den man bequem überqueren kann, um zur Flußmitte zu gelangen und dort im tiefen Wasser zu schwimmen. Im Herbst werden die Drähte, mit denen die Stämme lose verbunden waren, gelöst. Die Bäume werden einzeln in die Flußmitte gestoßen und treiben dann zu den Sägemühlen. Wie Sie wissen, pflegte das ganze Diplomatische Corps im Sommer im Fluß zu baden. Am sumpfigen Uferrand ist die Mückenplage zwar äußerst lästig, aber einige Meter weiter draußen ist man durch die leichte Brise, die ständig über den Fluß weht, von ihr befreit. Es ist wirklich sehr angenehm, wie Sie sich erinnern werden.

Deshalb wollten wir unser Fest dort bei Kerzenlicht – die Sommernächte sind völlig windstill – steigen lassen. Polk-Mowbray stürzte sich höchstselbst mit großemEifer in die Vorbereitungen. Zuerst einmal vergewisserte er sich, daß die Stämme an der gewählten Stelle auch wirklich fest verankert waren Dann wurde ein großes geteertes Segeltuch über sie gelegt und festgenagelt, dadurch entstand ein dreißig mal zwanzig Meter großes Floß, gepolstert durch die Save und geräumig genug sogar zum Tanzen. Markisen wurden gespannt und Tische für das kalte Buffet aufgestellt. Es versprach, die originellste Party des Jahres zu werden, und zurückblickend muß ich sagen, daß es in der Tat wohl die originellste Party meines Lebens war. De Mandeville und sein Chauffeur waren im siebenten Himmel. Sie beschafften weidengeflochtene Gatter, mit denen sie das Floß einzäunten und abteilten. Kleine Türen führten zur Tanzfläche und so weiter. Es gab sogar einen Umkleideraum für diejenigen, die baden wollten. Das Arrangement machte den Veranstaltern alle Ehre.

Das Diplomatische Corps war hell begeistert, als sie über den farbenfrohen Laufsteg zum Floß mit seinem bunt erleuchteten Buffet und seinen gestreiften Markisen hinaufstiegen. Alle erschienen in großer Gala, und Polk-Mowbray strengte sich besonders an: Seine Manschettenknöpfe waren ein Geschenk König Pauls von Griechenland; seine Frackknöpfe ein Geschenk der Königin Maria von Rumänien; seine Zigarettendose stammte von de Gaulle und sein Zigarrenabschneider von Churchill. Die Dunkelheit, das Kerzenlicht und das Gesumme der sich unterhaltenden Diplomaten verschmolz mit den leisen Melodien des Bozo-Zigeunerquartetts, das sentimentale serbische Weisen voller Glissandos, Vibratos und schluchzender Arpeggios spielte. Es war einfach zauberhaft. Der arme Tope (Neuters Sonderkorrespondent) repräsentierte die Presse. Er sank jedoch schnell mit Hilfe des wirklich ausgezeichneten Champagners ins Nirwana.

Fragen Sie bitte nicht, wie so etwas schiefgehen konnte. Ich weiß es nämlich auch nicht genau. Alles was ich weiß, ist, daß ich in einem Augenblick eine Gestalt erblickte – war es Benbow? –, die heimlich am Ufer unter den Weiden entlangkroch und in der Hand ein – wie mir schien – Beil hielt. Aber das ist auch alles.

Einige von uns bemerkten allerdings, daß sich, während alles Rumba tanzte oder sich am Buffet zu schaffen machte, der Abstand zwischen dem Floß und dem Ufer merkbar vergrößerte. Dann versank der Laufsteg im Schlamm. Wir waren noch nicht weit vom Ufer entfernt, vielleicht drei Meter. Aber wir wurden sichtbar abgetrieben, was bei der Schwere des Floßes, das sich auch noch in der Mitte der Hauptströmung befand, kein Wunder war. Aber noch war niemand beunruhigt; ein großer Teil unserer Gäste dachte sogar, das gehöre zum Programm. Ich kann mir gut vorstellen, daß sich die meisten Passagiere der *Titanic*, bevor diese in der Nacht mit dem Eisberg zusammenstieß, in einem ähnlich euphorischen Zustand befanden.

Polk-Mowbray allerdings machte sich Sorgen. Natürlich verlor er nicht die Fassung, sondern sagte nur ruhig: »Kann nicht einer von euch Jungens ins Wasser steigen und das Ding wieder ans Ufer schieben?« Aber dazu war das Wasser schon zu tief. Einige endlose Minuten schwebte das Floß wie eine Libelle auf der unbewegten Wasseroberfläche, dann setzte es sich in der windstillen Nacht langsam flußabwärts in Bewegung, die Kerzen flackerten sanft, die Kapelle spielte, das Diplomatische Corps tanzte, rauchte und klatschte über die neuesten Skandale, zufrieden mit sich und der Welt. Zu diesem Zeitpunkt bestand noch einige Hoffnung, daß wir an der nächsten Flußbiegung auf Grund laufen würden, einige von uns versuchten, die Baumstämme des Floßes zu fassen, andere, Zweige der überhängenden Weiden zu erwischen, um unsere Fahrt aufzuhalten. Aber das Pech wollte es, daß eine Stromschnelle uns ein wenig zu weit in die Flußmitte trieb und wir an der Landzunge vorbeiglitten; vergeblich versuchten wir, die Spitzen der Büsche zu greifen.

Allmählich wurde die Situation brenzlig. Bis Belgrad gab es kein rettendes Hindernis mehr und dort – der Angstschweiß brach mir bei dem Gedanken aus – vereinigt sich die Donau mit der Save, wobei ein gefährlicher Strudel entsteht. Die Save ist ein verhältnismäßig träger Fluß, die Donau aber kommt mit vierzehn Knoten Geschwindigkeit aus der rumänischen Hochebene herunter. Am Zusammenfluß der beiden Ströme zu schwimmen oder an Land zu waten, ist völlig ausgeschlossen. Die beiden Flüsse vereinigen sich unterhalb der Burg von Belgrad, ein malerischer Anblick, wenn man auf dem Trocknen steht ...

Es dauerte weitere fünf Minuten, bis sich unsere Gäste ihrer Lage bewußt wurden, aber da bewegten wir uns auch schon, von der Strömung getragen, unaufhaltsam, aber majestätisch flußabwärts – im vollen Lichterglanz wie ein Weihnachtsbaum. Vorwürfe, Vorschläge, Gegenvorschläge kamen in einem Dutzend Sprachen von den Lippen der Diplomaten und ihrer Frauen.

Hier muß ich einfügen, daß noch andere Faktoren mit im Spiel waren, von denen wir zwar keine Ahnung hatten, die aber dazu beitrugen, die Nacht unvergeßlich zu machen. Jugoslawien war damals, wie Sie wissen, von äußerst verärgerten kommunistischen Nachbarn eingekreist, die das Land in ständige Alarmbereitschaft versetzten, entweder indem sie ihre Truppen an den Grenzen aufmarschieren ließen oder indem sie zersetzende oder gelegentlich pornographische Literatur über die Flüsse einschmuggelten, letzteres – nehme ich an –, um die serbische Weiblichkeit zu entmannen, falls so etwas möglich ist. Auf jeden Fall war die Spionomanie Trumpf, und die jugoslawische Armee befand sich in ständiger Alarmbereitschaft. Andauernd kursierten neue Gerüchte von bewaffneten Überfällen aus Ungarn und der Tschechoslowakei.

Nur in diesem Zusammenhang ist es zu verstehen, daß irgendein armer Teufel von einem serbischen Infanteristen, der am Fluß Wache stand, meinte, er hätte ein kanonenbestücktes Kriegsschiff mit tschechischen Fallschirmtruppen, die zur Tarnung Frack und Abendkleider trugen und auf Belgrad zusteuerten, erspäht. Er prüfte seinen ersten Eindruck nicht auf seine Richtigkeit, sondern sprengte mit hervorquellenden Augen auf seinem Maulesel davon und erreichte eine Viertelstunde später die Burg von Belgrad mit der Nachricht, daß die Hauptstadt in wenigen Augenblicken umzingelt sei. Die Sturmglocken erklangen, während wir in seliger Ahnungslosigkeit langsam auf dem dunklen Wasser unserem Schicksal entgegenglitten.

Glücklicherweise gab es nur eine einzige Kanone in der Burg von Belgrad. Sie wurde unter Führung des Genossen Popovic von einer bunt zusammengewürfelten Rotte Albanier mit weißwollenen Mützen und ziegenledernen Hosen bedient. Trotz ihres wilden Aussehens und ihrer großen Schnurrbärte sind die Albanier im Grunde friedfertige Wesen, nicht wütender als ein Neufundländer und nicht temperamentvoller als ein Goldfisch. Normalerweise brauchten sie eine Woche, ihre Kanone zu laden, die ein Überbleibsel der West- oder Ostgoten (das habe ich jetzt vergessen) war. Genau besehen, war sie auch keine Kriegswaffe, sondern zum Salutschießen da. Während des Fastenmonats Ramadan feuerte sie allabendlich zum Sonnenuntergang einen krächzenden Böllerschuß ab, wobei ein Paar blaue Unterhosen, die seit unvordenklichen Zeiten als Polster für die Ladung dienten, sich aufblähten und scharf gegen den Himmel abhoben. Nichtsdestoweniger erkannte Genosse Popovic blitzartig, als er von der bevorstehenden Invasion erfuhr, daß die Verteidigung der Stadt einzig und allein von ihm abhinge. Er schloß sekundenlang die Augen und sah sich in schneller Folge mit dem Save-Orden, dem Orden des Heiligen Michael erster Klasse, dem Orden der Gnade und Fruchtbarkeit mit gekreuzten Heugabeln und mit der titolitären Ehrenmedaille dekoriert. Er befahl seiner Rotte, alles verfügbare Material wie Bierflaschenverschlüsse, ausgediente Hosenknöpfe, Blechschachteln und ausrangierte Eisenbahnteile zu sammeln, um damit eine tödliche Ladung zu fabrizieren und die vom Fluß herkommenden Eindringlinge schlagartig zu vernichten. Die altersschwache Kanone wurde mit aller verfügbaren Mannesstärke um ihre Achse gedreht und auf Ziel ausgerichtet.

In der Zwischenzeit hatte sich die Stimmung auf dem Floß zusehends verschlechtert. Überall sah man Zeichen beginnender Auflösung. Einige der von de Mandeville kunstvoll gefertigten Gatter waren verschwunden, das Buffet hatte sich unerwartet selbständig gemacht und begann seine einsame Fahrt auf einem der schmalen Nebenflüsse. Ich sehe noch heute die Kellner vor mir, die mit eisigen Mienen, verloren wie Pinguine auf einer treibenden Eisscholle, um sich blickten. Bozos Kapelle bemühte sich, mit kläglichen Tönen zumindest die Illusion von Tanzmusik aufrechtzuerhalten; aber sie mußten ständig den Platz wechseln, da die Leinwand undicht geworden war und sie mit den Füßen im Wasser standen. Die meisten Kerzen waren verloschen. Kalte Angst verzerrte langsam die Züge der Diplomaten, als ihnen der Ernst der Lage klarer und klarer wurde. Vor ihrem geistigen Auge hörten sie – man soll seine Metaphern nie durcheinanderbringen – das schicksalhafte Brausen der Donau, wenn sie in die träge, friedliche Save stürzt. Spontane Hilfsangebote entfuhren den zungenfertigeren Damen. Könnte man nicht etwas tun? Ein SOS-Zeichen geben? Oder vielleicht ein Feuer anzünden. . .? Aber diese Vorschläge waren, wie sie selbst nur zu gut wußten, von der Verzweiflung diktiert. Wir alle spürten in unseren Knochen, daß wir um unser Leben schwimmen müßten. Der italienische Botschafter, der seit einem Vierteljahrhundert nicht mehr geschwommen hatte, machte ein paar Probestöße in der Luft, um wieder in Übung zu kommen. Der einzige beneidenswerte Mensch war Tope, der auf dem abtrünnigen Floßteil unter der Bar eingeschlafen war und der nun den Sägemühlen zutrieb, wo er wahrscheinlich von unaufmerksamen Serben in Stücke geschnitten und in Zeitungspapier verarbeitet werden würde, ein für ihn sehr passendes Ende.

Währenddessen hatten wir die unselige Flußbiegung unterhalb der Burgbastei erreicht und waren somit in Pithecanthropos Popovic' Blickfeld geraten, der gebannten Auges, Zündholz in der Hand, unser harrte. Die Kanone war bis zum Rand geladen. Er wußte, er durfte uns nicht verfehlen. Es würde eine Woche brauchen, um für die nächste tödliche Ladung frisches Material aus den Mülltonnen Belgrads zu sammeln. Für ihn hieß es: jetzt oder nie! Er machte einen tiefen, ekstatischen Atemzug, als er uns langsam, aber unausweichlich genau in seine Feuerlinie einbiegen sah. Er hielt das Zündholz an das Zündloch.

Wir hörten ein heiseres Krachen. Ein grellgelbes Mündungsfeuer zerriß den dunklen Nachthimmel, und die ruhige Wasseroberfläche wurde plötzlich durch einen Geschoßhagel, der auf uns wie eine Maschinengewehrsalve wirkte, aufgepeitscht und durchlöchert. Die Hölle brach los. »Mein Gott«, schrie der argentinische Gesandte, der sich nie durch besonderen Mut auszeichnete, »sie schießen auf uns!« Er versteckte sich hinter dem breiten hannoverschen Rücken von Madame Hess, der Frau des deutschen Legationsrats. »Werft euch nieder!« schrie der Schweizer Gesandte und ließ seinen Worten unmittelbar die Tat folgen. Der italienische Botschafter verweigerte diesen Befehl mit schneidender Arroganz: »Porca Madonna, ich sterbe im Stehen«, schrie er und legte die Hand auf die Brust.

Das Bombardement hatte zwar niemanden verletzt, aber die meisten Musikinstrumente, die halbe Markise und der Rest von de Mandevilles kostbaren Gattern waren über Bord gegangen. Auch hatte eine Eisbox, die Tomatensaft enthielt, einen Treffer abgekriegt, und das Zeug, Blut verdammt ähnlich sehend, ergoß sich über uns, so daß viele wie Schwerverletzte wirkten. Dazu kam, daß wir ja nicht wissen konnten, daß Genosse Popovic eine Woche brauchen würde, um seine Heldentat zu wiederholen. Wir erwarteten weitere Angriffe, während wir uns der Hauptstadt näherten. Einige Damen brachen in Tränen aus, andere reinigten die Tomatensaft-Wunden ihrer Männer. Der argentinische Gesandte bemerkte plötzlich einen roten, sich ausbreitenden Fleck auf seinem weißen Smokinghemd und schrie auf: »Caramba, mich hat's erwischt!« Ohnmächtig sank er Madame Hess zu Füßen.

Das Floß sah aus wie ein von einem Karikaturisten gemaltes viktorianisches Schlachtenbild. Menschen lagen auf dem Boden. Menschen verkrochen sich hinter Stühlen. Menschen gestikulierten. Von überallher erklang gequältes Stöhnen. Selbst Polk-Mowbray verlor ein wenig die Fassung und zischte den armen de Mandeville an: »Nun tun Sie doch irgend etwas! Warum schreien Sie nicht um Hilfe?« De Mandeville versuchte gehorsam mit jämmerlich schrillen Piepsrufen das Tohuwabohu zu übertönen: »Hilfe, Hi-hi-hilfe!« klang es kläglich in die dunkle Nacht hinein.

Der Kanonendonner wiederholte sich zwar nicht. Dafür aber wurde der Fluß immer schmaler und die Strömung immer schneller. Das Floß fing an, sich um sich selbst zu drehen, daß einem übel werden konnte. Vor uns sahen wir das Aufblitzen von Scheinwerfern und hörten die Geräusche von Motorbooten. Mein Gott, was für neue Katastrophen standen uns erst an der Stromschnelle bevor? Vielleicht harrte unser schon eine Kompanie backenbärtiger Serben, um uns mit einem Kugelregen zu begrüßen. Eine grün-rote Rakete stieg in der Ferne auf und erhöhte unsere Angst.

Nun, die einzigen, die etwas unternommen hatten, uns zu retten (obwohl wir das in diesem Moment noch nicht wußten), waren die Chauffeure des Diplomatischen Corps. Es waren zumeist Serben – gewölbte Schädel, lange Stirnlocken, hervorstehende Zähne, hornige Hände und Füße, wilde, zum Himmel stehende Haare. Sie waren ein Corps für sich. Sie allein hatten – schrille Schreie oder dumpfe Laute ausstoßend, während sie im dicken Schlamm stapften – unsere Abfahrt und die sich abzeichnende Zerstörung des Floßes besorgt beobachtet. Mehr noch, sie dachten daran, was beim Zusammenfluß der beiden Ströme geschehen würde. Kaum waren wir ihren Blicken entschwunden, setzten sie sich nach Belgrad in Bewegung. Eine lange schimmernde Kette feierlicher Limousinen.

Dem nicht genug, brachten sie auch noch den Verstand auf, die Flußpolizei zu alarmieren und die Anwohner des Kohlenhafens mobil zu machen, die mit ihren Proviantbooten helfen sollten, das Floß zu stoppen, bevor es die Niagarafälle erreicht hatte. So kam es, daß zwei Polizeibarkassen mit Scheinwerfern und ein Haufen schweißbedeckter Bootsbesitzer uns auf der Save entgegenkamen. Dies war die Erklärung für die Lichter und Raketen, die uns solch einen Schrecken eingejagt hatten.

Aber sie hatten nicht mit der verheerenden Größe des Floßes gerechnet. Obwohl schon beträchtliche Teile abgespalten waren, hatten wir noch immer den Umfang eines geräumigen Ballsaals und die entsprechende Schwere. Vierhundert Meter vor dem Strudel stießen die Proviantboote und Flußbarkassen mit uns in einem grauenvollen Anprall zusammen. Wir waren mittlerweile alle völlig verwirrt und am Rande des Wahnsinns. Die meisten dachten, wir seien von Piraten überfallen, ein Eindruck, der sich noch verstärkte, als ein riesiger Serbe Madame Hess an einer Hand emporhob und sie in sein Proviantboot verfrachtete. »Vergewaltigung!« schrien die südamerikanischen Diplomaten, die ähnliches schon öfters erlebt hatten. Die Mitglieder der Schwedischen Botschaft, halbgeblendet von den Scheinwerfern und durch den Zusammenprall der Boote mit dem Floß aus dem Gleichgewicht gebracht, verfielen einer plötzlichen Hysterie, wie sie Nordländer so leicht heimsucht. Sie wollten eher bis zum letzten

Mann sterben, als unsere Retter aufs Floß lassen. Die freundlichen, hilfreichen Serben sahen sich jählings von sportlichen jungen Männern in Abendanzügen, die ihre Zähne in ihre Nacken senkten, gepackt und rollten mit ihnen gemeinsam über Bord. Ein schauderhaftes Getöse entstand. Trotz der starken Motoren der Polizeibarkassen schwamm das Floß unaufhaltsam den Wasserfällen entgegen und riß damit nicht nur die Blüte der europäischen Diplomatie, sondern auch einen Teil der Proviantboote, deren Besitzer schrille Schreie ausstießen und in alle möglichen Richtungen steuerten, nur nicht in die richtige, mit sich.

Es war das Ende, mein Lieber. Aber leider kein schnelles. Wir fühlten uns wie auf dem Rücken eines bockenden Mustangs, der uns unweigerlich abwerfen würde. Nur wer Conrads *»Typhoon«* gelesen hat, kann verstehen, wie uns zumute war.

Die Donau riß die Leinwand herunter, schleuderte die Stämme auseinander und wirbelte alles in die Luft. Zum Glück gab es genug herumschwimmende Baumstämme, an die wir uns klammern konnten. Es war kein erhebender, aber sicher auch kein alltäglicher Anblick. Der argentinische Gesandte wurde brüllend in die dunkle Nacht abgetrieben und erst am nächsten Morgen zehn Kilometer flußabwärts an Land gezogen. Man hatte überhaupt den Eindruck, daß die

Donauufer hinunter bis zur Stadt Smog mit den gebleichten Knochen der Finnen, Schweden, Japaner und Griechen übersät sein müßten. De Mandeville erhielt einen Schlag auf den Kopf und verlor das Bewußtsein. Polk-Mowbray brach sich das Schlüsselbein. Draper verlor sein Toupet, das ungefähr tausend Mark gekostet hatte, und mußte fast zwei Monate lang eine Mütze tragen.

Es dauerte vierundzwanzig Stunden, bis wir wieder alle beisammen waren, und es erschien wie ein Wunder, daß wir keine nennenswerten Opfer zu beklagen hatten. Solche Erlebnisse können einen direkt religiös stimmen.

Noch ein Wort über Benbow. Er fuhr am nächsten Morgen in Urlaub und blieb sechs Monate fort, eine sehr taktvolle Lösung. Polk-Mowbray hatte seine Lektion bekommen und schmückte seinen Bericht an das Außenministerium mit den Worten: »Das Wichtigste für einen Diplomaten ist, sich nie zu übernehmen.« Hinterher klug zu sein, ist natürlich immer leicht. Trotzdem finde ich den Ausspruch gar nicht so dumm.

Noch tiefer in den Vorderen Orient, in die Hafenstadt Jaffa nämlich, damals unter jungtürkischer Herrschaft, führt die Spitzbubengeschichte von M. Y. BEN-GAVRIÊL (1891 bis 1965) aus seinem heiteren Buch »Das anstößige Leben des großen Osman«, in dem er meisterhaft die orientalische Erzählergabe gleich dem überquellenden Reichtum der Basare vor uns ausbreitet.

M. Y. BEN-GAVRIÊL

Ein Neger mit Sommersprossen

Nach Ibrahim kam ein anderer Türke, er hieß Hamid effendi, von dem nichts anderes zu berichten ist, als daß zu seiner Zeit die Polizei – wie überhaupt alle Institutionen im Reich des Padischah – reformiert wurde. Vielleicht erinnert sich noch der eine oder der andere von Euch, daß die Jungtürken, die damals zur Herrschaft kamen, verschiedene Reformen, wie sie diese Dinge nannten, einführten, welche die Bevölkerung in schwere Bestürzung versetzten. Durch diese Reformen nämlich, die durch fremde Berater und Instruktoren vorgenommen wurden, kam alles Altgewohnte aus dem Geleise. Kein Mensch wußte nunmehr, wieviel Bakschisch dieser Beamte und wieviel jener zu bekommen hatte, um diese oder jene Verordnung zu umgehen, man zahlte daher zuviel oder zuwenig, mitunter auch zweimal, und dann stellte sich heraus, daß es gar nicht der richtige Beamte gewesen war, der die Bestechung bekommen hatte. Es herrschte ein völliges Durcheinander. Und dazu noch die fremden Instruktoren, die sich in allen Ämtern breitmachten! Sie begriffen ja überraschend schnell Zweck, Sinn und tiefe Absicht des Bakschischs, aber als sie dies begriffen hatten, standen der Bevölkerung die Haare unter den Turbanen zu Berge, denn die neuen Bakschischsätze – doch lassen wir das, es gehört ja nicht hierher, und Allah weiß es besser!

In dieser Zeit des völlig nichtssagenden Hamid effendi, der sich nur um seine zwei Frauen kümmerte – Jaffa war anscheinend doch nicht ergiebig genug, als daß er seinen Harem auf den erlaubten Stand von vier Insassinnen hätte komplettieren können –, in dieser Zeit begannen die europäischen Touristen sich in großer Zahl unsrem Land zuzuwenden. Sie stiegen in Jaffa an Land, und wir, die wir um diese Zeit zumeist im Hafen herumlungerten, hatten unser Spiel mit ihrer fast grenzenlosen Leichtgläubigkeit und auch hie und da ganz annehmbare Verdienste. Besonders Osman, der ja mehrere Sprachen kannte, war zu jener Zeit der Segen der Bande, denn er verdiente mitunter ganz ungeheure Mengen an Zigaretten und an ausländischen Geldstücken.

Einmal, da gerade wieder eine Herde von Touristen durch die Zollstation getrieben wurde, stieß mich plötzlich Osman an und wies auf einen überaus langen Engländer. Den langen Burschen dort, sagte er, den kaufen wir uns. Und schon trabten wir an der Seite dieses Musterexemplars eines englischen Orientreisenden.

Herr, fing Osman an, wollen Sie vielleicht etwas sehen, was noch kein Tourist vor Ihnen gesehen hat?

Der Fremde schaute von ganz oben herab auf uns herunter, dann grinste er. Bin kein heuriger Hase, sagte er und bleckte die Zähne. Interessiere mich weder für Haremsgeheimnisse noch für Knaben oder Mädchen und auch nicht in ausreichendem Maß für ausgestopfte Mumien.

Hu, sagte ich und wollte verschwinden, denn ich sah sofort, daß mit dem Burschen nichts anzufangen war, aber Osman spie verächtlich auf einen gelben Hund und meinte: Habe Besseres für Sie, Mister.

Was er Besseres habe, fragte der Mister und grinste wieder so fatal. Da stellte Osman sich auf die Fußspitzen und flüsterte:

Wollen Sie einen Neger mit Sommersprossen sehen?

Der Engländer stellte das Lachen ein, schaute sich in der Umgebung um, ob er nicht etwas Handliches fände, was er Osman an den Kopf werfen könnte, und tat überhaupt wie jemand, der nicht zum erstenmal im Orient ist. Osman aber verbiß sich in den Fall und meinte, als der Engländer etwas wie yin 'al abuk: dein Vater sei verflucht sagte: Herr, bitte lassen Sie meinen Vater in Ruhe, denn Sie kannten ihn ebensowenig wie ich. Ich habe gedacht, daß ein so seltenes Naturschauspiel wie ein Neger mit Sommersprossen Sie interessieren könnte. Wenn nicht, dann eben nicht! Morgen fährt er weg. Nach Amerika. Hat eine Anstellung beim König von Amerika. Dann wird's zu spät sein für Sie.

Was soll ich Euch sagen, meine Herren? Der Lange war schließlich einverstanden, mitzugehen. Nun wurde mir ein wenig anders zumut, denn erstens hatte ich keine Ahnung, woher man einen Neger mit Sommersprossen nimmt, und zweitens war der Engländer doppelt so lang wie wir beide und hatte ein paar Fäuste wie eine ganze Schiffsbesatzung zusammen.

Osman aber schien ausnehmend guter Dinge, zumindest pfiff er ein Lied, das er kürzlich von einem chinesischen Schiffskoch gelernt hatte, und trabte vor uns in die Mandjiye hinauf. Je weiter wir gingen, desto dringender wurde aber in mir das Bedürfnis zu türmen. Der Lange schien jedoch den Braten gerochen zu haben und hielt mich am Kopftuch fest. Wir gingen und gingen kreuz und quer durch den Bazar, wobei, wie ich schnell bemerkte, Osman uns im Kreis herumführte.

Langsam packte mich die Wut, denn ich war völlig überzeugt, daß die Sache schlimm enden würde, da wir, wie es allen Anschein hatte, an den Unrichtigen gekommen waren. Plötzlich blieb Osman stehen und verlangte Bakschisch. Es sei, meinte er mit majestätischer Frechheit, in Jaffa Sitte, im voraus zu bezahlen. Ich zog sofort den Kopf ein, denn ich hatte das Gefühl, daß nun etwas ungemein Unangenehmes kommen müsse. Doch statt mir, der ich ihm am nächsten stand, eine herunterzuhauen, gab der Lange dem Osman ein Zehnguruschstück. Osman schaute entgeistert auf das Geld, starrte den Engländer an und begann hierauf, an einem Wort zu kauen, das er aber nicht hervorbrachte. Zehn Piaster hatte der Engländer ihm gegeben, mehr als wir je auf einmal in der Hand gehabt hatten. Jetzt verschwindet er, fuhr es mir durch den Kopf, und läßt mich allein zurück! Um dies zu verhindern, packte ich Osman sofort am Gürteltuch.

Es war ein entzückendes Bild, wie wir, einer den andern haltend, im Gänsemarsch durch die Mandjiye marschierten.

Endlich blieb Osman stehen, wies mit großartiger Gebärde auf ein Haus und sagte:

Hier wohnt der Neger mit den Sommersprossen.

Ich glaubte, daß mich augenblicklich der Teufel holen werde, denn das Haus war Yussefs Haus,

Yussefs des Wasserträgers, eines rothaarigen Ninive-Juden, der etwa so ein Neger war wie ich ein Goldfisch.

Osman klatschte in die Hände, schlug mit dem Fuß ans Tor und schrie:

O Neger mit den Sommersprossen, öffne!

Im nächsten Augenblick wurde das Tor aufgerissen, und herausschob sich der riesige schwarze Turban des Wasserträgers, auf dessen weißem Gesicht zwei oder drei Hundertschaften Sommersprossen saßen. Als er Osman erkannte, fluchte er ausführlich und schlug das Tor wieder zu.

Haben Sie ihn gesehen, Mister? keuchte Osman, das war der Neger mit den Sommersprossen.

Was er noch sagen wollte, weiß ich nicht, denn im nächsten Moment hatte ihm der Engländer den Schädel zurückgebogen – wobei er mich aber nicht losließ –, so daß Osman zu gurgeln begann wie ein durstiges Kamel. Du verdammter Schakal, sagte der Lange, ohne aber besonders zu schreien, wie es etwa die deutschen Touristen taten, wenn sie sich über etwas ärgerten, der Mann hat doch eine völlig weiße Hautfarbe.

Mister, gurgelte Osman, das ist es ja eben. Sie werden so etwas nie wiedersehen. Ein doppeltes Naturwunder: ein Neger, der nicht nur Sommersprossen hat, sondern auch weiß ist!

Der Engländer bekam darauf einen Lachanfall, den wir, wie auf Verabredung, zum Ausrücken benutzten. Leider blieben dabei unsre Sonnentücher in der Hand des Langen zurück.

Drei oder vier Tage später – wir hatten in der Bustrusstraße von einer menschenleeren Wäscheleine ein Hemd heruntergenommen, aus dem wir uns gerade eine Art Sonnentücher verfertigten – stand plötzlich der verfluchte Hassan Nummer dreiunddreißig hinter uns.

He, ihr Hunde, meinte er, wobei er seine Daumen in unsre Achselhöhlen drückte, was, wie Ihr wohl wißt, auch einen Riesen machtlos macht, ihr sollt auf die Polizeistation kommen, eure Sonnentücher sind gefunden worden.

Osman schaute nach rechts, ich schaute nach links, aber es bestand keine Möglichkeit, den Aufenthaltsort im Laufschritt zu wechseln. So sagte Osman:

Hassan effendi, dein Vater war ein anständiger Mensch, aber du bist der Sohn eines Hundes. Nimm deine Pfoten weg, wir verzichten auf unsre Kopftücher. Zugunsten der Polizei.

Hassans gewichster Tscherkessenschnurrbart hüpfte vor Freude, und seine Daumen kraulten unsre Muskelköpfe, daß wir vor Schmerz aufschrien. So brachte er uns zum Polizeirevier, in das er uns, wie Fußbälle, durch je einen gewaltigen Tritt hineinschleuderte. Da verging uns aber das Fluchen und das Heulen, jeder Ton blieb uns in der Kehle stecken, und die Augen fielen uns beinahe heraus. Wer saß dort am Tisch in der Uniform eines Polizeioffiziers? Was meint Ihr? Ihr werdet es nicht erraten: unser langer Engländer.

Osman war der erste, der sich so weit gefaßt hatte, daß er sagen konnte: Alle Macht ist bei Allah, und der Teufel werde gesteinigt! Da lachte der Lange auf und meinte, daß Osman der Sohn eines räudigen Schakals sei und ich sein Bruder, und dann – ehe wir noch diese Behauptung widerlegen konnten – meinte er, daß wir uns wohl geirrt hätten, denn der Neger mit den Sommersprossen wohne in einem ganz andren Haus und sei gerade in diesem Augenblick auf der Polizeistation. Ob wir ihn sehen wollten? Osman wischte sich den Schweiß von der Stirn und schaute verzweifelt nach dem Fenster. Dieses aber war, wie es auf Polizeistationen schon Sitte ist, vergittert. Der Engländer klatschte in die Hände, die Tür ging auf und herein trat – der Neger mit den Sommersprossen. Das war zuviel für uns. Ich knickte ein wie ein Taschenmesser, und Osman zog sich heulend den Sonnenfetzen vor die Augen. Nun brüllte der Engländer vor Lachen auf, die Polizisten lachten, und der Neger grinste wie ein Karussellpferd, das einen neuen Schweif bekommen hat.

Die Pointe der Geschichte, eine Pointe, die ich bis heute nicht verstehe, kam aber erst danach.

Der Engländer gab nämlich dem Osman statt der gewohnten Polizeiprügel eine Zigarette und ernannte ihn zu seinem Leibdiener. Mit Bezahlung! Ich aber flog, ohne Zigarette und ohne irgendeine Ernennung, aus der Polizeistation heraus. Versteht Ihr, meine Herren, ein solches Vorgehen? Ich nicht. Bis heute nicht.

Osman aber – nun, seit damals kannte uns der Hund nur mehr ganz oberflächlich. Seitdem er in einer piekfeinen Galabiye und mit Schuhen an den Füßen durch Jaffa stolzierte, sah er von oben herab auf uns herunter und schmiß uns höchstens hie und da seinen Zigarettenstummel zu.

Was aber den Neger betrifft, so hatte er, wie ich nach Jahren erfuhr, gar keine Sommersprossen gehabt, sondern irgendeine hundsgemeine lausige Hautkrankheit, die solche Leute manchmal bekommen, wenn sie irgendeinen Dreck fressen, der ihrem seidenen Magen nicht bekommt.

Ihr werdet mir zugeben, daß es keinen Sinn hat, über Gerechtigkeit in der Welt zu sprechen.

Um aber wieder auf Osman zu kommen, so hatte er das feine Leben bald satt, und da überdies sein Herr in Jaffa bald genügend reformiert hatte – er war nämlich einer von den Reformatoren der Jungtürken –, schied Osman aus den Diensten der Reformation und stieß wieder zur Bande: mit zehn Schachteln Zigaretten, einer Weckuhr, drei Sockenhaltern und einer merkwürdigen kleinen

Bürste, mit der er uns, wenn er besonders gut gelaunt war, zu unsrem Ergötzen zeigte, wie der Engländer seine Zähne gewaschen hatte. Wir glaubten ihm natürlich nicht, daß ein Mensch auf die Idee kommen könnte, etwas zu waschen, was sowieso naß ist, bis wir einmal von einem Touristen eine amerikanische Zeitschrift bekamen, wo wir eine derartige Bürste im Mund eines ungeheuer blonden Mädchens abgebildet sahen. Diese Bürste, erinnere ich mich, verkaufte Osman später einem Schuhputzer.

ERNST KREUDER (1903 bis 1972) machte sich einen Namen durch seine surrealistisch-romantischen Erzählungen »Die Gesellschaft vom Dachboden« und »Die Unauffindbaren«, die der deutschen Nachkriegsliteratur einen neuen Akzent verliehen und Aufsehen erregten. In der nachfolgenden kleinen Erzählung zeigt sich der Autor von seiner versteckt heiteren Seite.

ERNST KREUDER

Bis das Lösegeld kam

Auf seinem Abendspaziergang hörte Gradini in der stillen Straße das Surren eines langsam fahrenden Wagens. Es war unter den Bäumen zu dunkel, um den Wagentyp auszumachen. Seitentüren klappten. Gradini hörte Schritte, das Surren des Motors hielt an. Vom Asphalt kam ein Mann herüber auf ihn zu.

»Entschuldigen Sie bitte«, sagte der Mann mit den dunklen Augengläsern, »sind Sie der bekannte Rechtsanwalt Dr. Gradini?«

Auf der Straße und abends um neun, dachte der Anwalt, gebe ich überhaupt keine Auskünfte. Er witterte, daß hier etwas nicht stimmte. Warum verstellen Sie mir den Weg? wollte Gradini fragen. Er kam nicht dazu. Er hatte den Mann, der plötzlich hinter ihm stand, zu spät kommen hören. Eine behandschuhte Hand legte sich von hinten über seinen Mund, die andere Hand hielt ihm einen getränkten Wattebausch unter die Nase. Der Mann vor ihm hielt die Oberarme Gradinis über den Ellenbogen umklammert.

Äther, dachte der Anwalt, mitten in der Stadt ein ziemlich unglaubwürdiger Vorfall. Meine Frau wird einen Schrecken bekommen. Dann dachte er längere Zeit nichts mehr.

Kurz darauf erhielt seine Frau einen Anruf. Sie entschuldigte sich bei ihren Gästen. Im Flur nahm sie den Hörer ab. »Wir haben Ihren Mann«, sagte eine flüsternde Stimme, »es geschieht ihm nichts, wenn Sie sich vernünftig verhalten. Kein Wort zur Polizei. Wir melden uns morgen abend wieder.«

»Ich verstehe«, sagte sie und legte zögernd auf.

Drei Stunden später erwachte Gradini auf einem quietschenden Feldbett in einem dunklen Raum. Das träge, wälzende Rauschen hinter der Wand konnte nur bedeuten, daß sich das Haus unmittelbar am Meer befand. Eine Hunderterbirne flackerte über ihm an der Decke und ging an. Er betrachtete, mit einem pelzigen Geschmack im Mund, benommen, die dicken, grob geweißten Wände, sie waren bauchig, krumm und verzogen. Altes Gemäuer, dachte er, wo bleiben die großen, schwarzen Spinnen? Draußen fuhr ein Schlüssel ins Türschloß. Die Tür ging knarrend nach innen auf. Ein Mann mit ungewöhnlich breitem Brustkorb trat die Tür hinter sich zu und stellte ein

Tablett auf den wackeligen Nachttisch. Tätowierte Handrücken, dachte Gradini, geflickte Hosen, quergestreiftes Trikot, ein Muskelmann mit Ringerstirn. Er setzte sich auf. »Sie kommen unbewaffnet?« fragte der Anwalt.

»Ganz recht«, sagte der bärenhafte Mann zufrieden.

»Aber ich rate Ihnen, machen Sie keine Dummheiten hier. Ich bin Alfonso. Bringe Ihnen ne kleine Stärkung.«

»Ich will nichts«, sagte Gradini, »warum hat man mich entführt?«

»Gekühltes Bier«, sagte Alfonso, »Sandwiches mit Schinken und Käse, eine Salzgurke, Zigaretten und Streichhölzer. Sie könnten damit diese Strohmatratze anzünden. Den Mauern wird es nichts schaden, stehn seit Jahrhunderten,aber Sie selbst könnten bei dem Brand. . .«

Gradini zögerte, dann goß er sich ein Glas Bier ein und stürzte es hinunter. Er biß in die Salzgurke, schenkte sich wieder ein. »Ich muß Sie schon einmal gesehen haben«, sagte er. Er zog seine Brieftasche heraus und stellte fest, daß nichts fehlte. Er zündete sich eine Zigarette an.

»Warum nicht«, sagte Alfonso, »vielleicht im Zirkus oder im Fernsehen. Meine Nummer war ohne Konkurrenz.«

»Komme nicht drauf«, sagte Gradini, »was für eine Nummer?«

»Eigentlich waren es zwei«, sagte der bedächtige Riese mit hoher, rauher Stimme. »Die Felsennummer und die Taxinummer. Auf meiner Brust wurde jeden Abend ein Felsbrocken in Stücke geschlagen, mit dem Vorschlaghammer. Anschließend fuhr ein Taxi, mit vier Männern besetzt, auf zwei Bohlen über mich hin und zurück, wenn Sie sich daran erinnern.«

»Stimmt«, sagte Gradini, »Sie sind der ›Mann mit der Eisernen Brust‹, ich erinnere mich an die Plakate. Und wo befinde ich mich jetzt?«

»Bis das Lösegeld eintrifft, das Ihre Frau berappen wird«, sagte Alfonso, »sind Sie unser Gast. Roberto kocht eins-a-prima. Im Waschraum finden Sie einen sauberen Pyjama, die Ärmel sind etwas ausgefranst. Außerdem Rasierzeug und Zahnpulver. Spezielle Wünsche? Schmeckt das Bier?«

»Kann ich mit meiner Frau telefonieren?«

»Können wir nicht riskieren, vielleicht hat die Polizei Ihre Leitung schon angezapft.«

»Also eine billige Entführung«, sagte Gradini, »genau wie im Schundroman.«

»Billig? Sie kennen die Höhe des Lösegeldes nicht«, sagte Alfonso, »Schundroman dürfte eher stimmen. Nämlich kein Geschäftsschmus, nur rohe Tatsachen, Geld oder Leben. Unser Grundsatz: Barzahlung.«

»Wo ist die Toilette?«

»Werde Sie hinbringen und wieder zurück. Also keine Dummheiten, bitte.«

Am siebten Tag seiner Verschleppung stellte Gradini fest, daß er sich in dem einsamen Haus am Meer wohl fühlte wie nicht mehr seit vielen Jahren. Er hatte auch Roberto, den Koch, kennengelernt. Der rundliche flinke Roberto hatte ihm Kartenkunststücke beigebracht und ihm gezeigt, wie man mit einer rohen Kartoffel oder einem hartgekochten Ei Stempelabdrücke auf amtliche Formulare übertragen konnte. Abends durfte Gradini in dem Garten mit den hohen Bruchsteinmauern, auf denen grüne Flaschenscherben glitzerten, spazierengehen oder auf der Bank unter den Kiefern sitzen. Mit der Beschaffung des Lösegeldes mußte etwas nicht geklappt haben. Seine Migräneanfälle waren ausgeblieben, die nervöse Gehetztheit war fast verschwunden, und seine Essensunlust war einem gesunden Appetit gewichen.

Ich sollte meine Praxis aufgeben, dachte er an diesem Abend auf der morschen Bank, wie bin ich diese ewigen Prozesse leid. Wegen der letzten Nichtigkeiten kommen die Leute zu ihrem Anwalt. Da verklagte doch neulich ein Hausbesitzer einen seiner Mieter, weil dessen Hühner gelegentlich am Komposthaufen des Hausbesitzers pickten . . .

»Herr Doktor«, rief Alfonso von der rückwärtigen Küchentür. »Was gibt's?« rief Gradini auf der Gartenbank. »Sie sollen mal reinkommen. Die Pinke ist soeben eingetroffen. Jetzt sind Sie wieder ein freier Mann.«

Frei? dachte Gradini, wo mir diese Prozesse schon so zum Hals heraushängen, daß ich . . . Er gelangte hinter den Zypressensträuchern zur Küchentür. »Gratuliere, Herr Doktor«, sagte Alfonso. »Wir bringen Sie um Mitternacht zurück in Ihre Wohnung, natürlich mit verbundenen Augen.«

Warum? wollte Gradini fragen, wo es mir allmählich ganz gut hier gefällt? Er schwieg. Wenn diese Kidnapper erfuhren, daß er sich hier wohl fühlte, dann konnten sie noch einmal Lösegeld fordern und die Summe verdoppeln, die er nicht einmal kannte

»Du siehst richtig verjüngt aus«, sagte seine Frau, »hat man dich denn schonend behandelt?« Er saß mit ihr im Wohnzimmer und schlürfte einen Remy Martin.

»Du wirst es nicht glauben, Flora«, sagte Gradini, »aber diese Verschleppung fand ich auch wieder hochinteressant. Ein Abenteuer! Außerdem habe ich mich bei diesen Verbrechern wirklich amüsiert. Haben wir noch ein Kartenspiel zu Hause?«

»Ich glaube nicht«, sagte Flora. Sie hatte sich ein Glas Milch gewärmt. »Aber es freut mich, daß du dich endlich einmal amüsiert hast. Nachdem du nämlich dieses Jahr vom Verreisen nichts mehr wissen wolltest.«

»Nanu«, sagte Gradini, er stellte das Cognacglas hin. »Du willst damit doch nicht sagen, daß . . .«

»Doch«, sagte Flora, »ich hoffe, du schimpfst mich nicht aus. Deine Entführung vor sieben Tagen war gebucht und im voraus bezahlt. Es handelt sich um eine angesehene Firma. Sie inseriert unter dem Namen Neptunia und nennt sich Institut für neuzeitliche Entspannung. Sie verlangten natürlich Referenzen . . .«

»Zum Schießen«, sagte Gradini, »neuzeitliche Entspannung, das kann man wohl behaupten. Ist ja geradezu unbezahlbar. Könnte man eigentlich einigen älteren Kollegen dringend empfehlen.«

Der 57jährige Rechtsanwalt und Notar schenkte sich noch einen Cognac ein.

Im fernen Masurenland, wo der durch seinen neuen Roman »Deutschstunde« erfolgreichste deutsche Autor SIEGFRIED LENZ 1926 geboren wurde, spielt die nachfolgende Erzählung, die seinem köstlichen Geschichtenbuch »So zärtlich war Suleyken« entnommen ist.

SIEGRIED LENZ

Der Ostertisch

Alec Puch, ein schöner, gesunder Vater, hatte seine Brut auf einem Schleppkahn untergebracht, den ihm sein Onkel, ein riesiger Mensch namens Manoah, vererbt hatte. Die Brut: damit sind gemeint die drei zarten Söhne des Alec Puch, welche, wie er sich auszudrücken beliebte, redlich erworben waren. Ob redlich oder nicht – die drei zarten Menschen, Wunder an Anmut und Abrichtung, stammten alle von verschiedenen Müttern, ein Umstand, den man nur dadurch erklären kann, daß Alec Puch einst Gehilfe war bei einem wandernden Scherenschleifer. Und da er, aus verschiedenen Gründen, Kinder liebte, hatte er sie zu sich geholt. Allerdings, bitte sehr, ehrte er das Andenken der Mütter, indem er seine Söhne nach den Ortschaften rief, in denen sie die masurische Welt erblickt hatten. Diese Ortschaften hießen: Sybba, Schissomir und Quaken.
Seit geraumer Zeit also, wie gesagt, lebten die drei

Knaben mit Alec Puch, ihrem schönen, gesunden Vater, auf dem Schleppkahn. Dieser Kahn sah aus – na, wie wird er ausgesehen haben: wie ein schwarzer Holzschuh voll Flöhe, so sah er aus. Hier wimmelte es, da bewegte sich was, hier roch es, da gab es piepsenden Laut: überall Interessantes, überall Neuigkeit und Abenteuer. Man aß angenehm, man badete gelegentlich, man schlief unter dem milden Glucksen der Flutwellen bis in den späten Vormittag – das Paradies war niemals näher.

Eines Tages, gleich wird gesagt, wann, erhob sich, während noch Nebel auf der Wiese lagen, ein nie gehörtes Gebrüll auf dem Vorschiff. Der da brüllte: es war Alec Puch höchstpersönlich. Er brüllte, fast wie im Schmerz, die Namen der zarten Knaben, und da sein Gebrüll den Trompeten von Jericho in nichts nachstand, flog die Brut aus den ererbten Hängematten und rannte augenreibend an Deck. Die Söhne stellten sich, in der Reihe der Ortschaften, die ihr Vater durchlaufen hatte, auf dem Achterschiff auf, fröstelten leicht und warteten auf den, der ihnen den Schlaf gestohlen hatte. Und plötzlich erschien er, ein schönes, gesundes Gesicht, rosige Backen, schwarze Haare, ein annehmbares Herrchen sozusagen, wenngleich dieses Herrchen etwas zur Schau trug, das die Söhne tief erschreckte. Alec Puch nämlich trug eine so ungeheure Leidensmiene zur Schau, als hätte man ihm gleich sämtliche Zehen abgeklemmt. Na, er stellte sich hin vor die fröstelnden Knaben, ein Blick voll düsterer Liebe lief die Reihe entlang, und plötzlich, was geschah dann? Alec Puch weinte. Weinte einmal kurz, aber ausgiebig, sah dann die Söhne mit versonnener Zärtlichkeit an und sprach folgendermaßen: »Der Tag«, sprach er »meine Söhne, ist nahe. Wehe, wenn ihr noch nichts habt gehört vom Lamm: Ostern. Wer von euch noch nichts gehört hat vom Lamm, ich werd ihn prügeln, bis er weiß das und sogar noch mehr. Aber das Lamm, ihr Lachudders: klein, ganz ganz klein, und sauber. Und ausgeschlafen. Und gaaanz weiß. Ehrenwort. Und sagt nichts, das kleine, weiße, liebliche Lamm. Eine Schneeflocke, verstanden! Das ist das Lamm. Ostern: Wehe, wer nicht kennt das Lamm. Kleines, gewaschenes, fröhliches Lamm. Anders als ihr.«

Alec Puch, der rosige Vater, konnte nicht weitersprechen, denn wie man schon gespürt haben wird, erstickten Tränen die weitere Rede, und er trat, in haltloser Rührung, an die Reling, weinte hingebungsvoll und ließ die zarten Knaben frieren.

Doch unvermutet – die Knaben waren nicht darauf gefaßt und aßen, was sie in ihren Taschen gefunden hatten – schoß er herum, lachte, ging mit ausgebreiteten Armen auf seine Lachudders zu, küßte sie intensiv, und nachdem er sich etwas Eßbares von ihnen geliehen hatte, sprach er so: »Wir haben, Cholera, lange genug ohne gesellschaftlichen Verkehr gelebt. Das ist, was soll ich viel sagen, nicht gut. Und darum werden wir, Söhne, morgen das geben, was man einen Ostertisch zu nennen pflegt. Vielleicht gleich vor dem Schiffchen. So ein Ostertisch: wer ihn mitgemacht hat einmal – vergessen kann er ihn nie. Man braucht Fische dazu und Schinken, und, wie sich's gehört, einige Flaschen zum Trinken. Nur, wenn ich bitten darf, nicht zu knapp.«

»Den Tisch«, sagte die Ortschaft Quaken, »den Tisch, bitte sehr, haben wir schon.«

»Und wir haben«, fügte die Ortschaft Sybba hinzu, »auch die Bänke. Hier liegen, dreht euch nur um, Bretter genug.«

»Damit«, sprach Alec Puch, »kommen wir zu dem Unwichtigen: worunter ihr zu verstehen habt Fische, Schinken, und, wenn ich bitten darf, nicht zu knapp zu trinken.«

»Es wird«, sagte die Ortschaft Schissomir, schon im Stimmbruch, »alles beschafft werden zur Freude. Unser Ostertisch wird fröhlich sein und lieblich wie das Lamm – Habe ich richtig gesprochen?«

»Richtig«, sagten die Brüder und nickten.

Sodann küßte Alec Puch seine Söhne, und sie begaben sich, getrennt voneinander, in das Dorf hinüber, wo, wie gemeinhin vor Ostern, einer der bewegten und erstaunlichen masurischen Märkte stattfand. Und hier, worauf man vielleicht gespannt sein mag, geschah folgendes zum Nutzen des beschlossenen Ostertisches: Alec Puch, ein, wie gesagt, rosiges, annehmbares Herrchen, spazierte ein wenig auf und ab, trat, leidlich interessiert, an einen Fischstand heran, rümpfte die Nase, beklopfte die Fische – na, spielte so nach Herzenslust den hochmütigen Käufer. Die Fischfrau, eilfertig, ziemlich bedripst obendrein, plierte dazu, sagte auch gelegentlich was, aber das Herrchen ließ sich nicht beschabbern. Und während das Herrchen, äußerst kritisch, die Fische drückte, beklopfte, beroch, in manche sogar hineinhorchte, wer kam da an? Gut, sagen wir mal, es war die Ortschaft Quaken, die da ankam. Tat natürlich so, als ob das Herrchen nie dagewesen wäre, einfach unbekannt war man sich. Und während so die Fischfrau das unentschlossene Herrchen anplierte, griff Quaken, gewissermaßen die Entschlossenheit höchstpersönlich, ohne zu riechen und zu klopfen, in den Kasten, schnappte sich die beiden Jonasse – womit gemeint sind die größten – und verschwand. Rannte natürlich den Markt entlang, schrie in einem fort »Platz da«, »Zur Seite«, »Aufgepaßt« – und da er unter wilden Schreien die schleimigen Schwänze der Jonasse mal hierhin wirbelte, mal dahin, wagte keiner, in seiner Nähe zu bleiben, man stob quasi auseinander.

Stob, ja, derweil das annehmbare Herrchen, immer noch bei der Fischfrau, sich bemüßigt fühlte, so zu sprechen: »Mir scheint, Madamchen, sprach er, »als schulde Ihnen der letzte Käufer noch Geld. Ich werde jetzt, Ehrenwort, dem Burschen nachsetzen, kann sein, daß ich ihn gleich erwische, kann sein auch ein bißchen später. In jedem Fall, Madamchen, nur Mut, werde ich ihn einholen. Ich finde ihn wieder.« Die Fischfrau sagte darauf: »Schnell, Herrchen, schnell. Er hat die größten.« – »Das ist«, sagte Alec Puch, »um so besser«, und er wandte sich um und verfolgte die diebische Ortschaft Quaken.

So traf man sich also am Schleppkahn, verwahrte die Fische, träumte einen spärlichen Augenblick lang vom bevorstehenden Ostertisch – man sah ihn schon köstlich gebogen – und zog wieder los. Wieder: das war notwendig zur Erfüllung des zweiten Wunsches, wonach auf einem Ostertisch prangen, oder sollen wir sagen: blühen muß ein hinreichend kolossaler Schinken, frisch angeschnitten nach Möglichkeit.

Die – wenn es erlaubt ist zu sagen – Blume allen Fleisches war lange entdeckt, blühte gleichsam schwitzend in einem Rauchfang, nur ein bißchen hoch ohne Leiter, und war Eigentum eines finsteren Menschen namens Bondzio. Dieser

Bondzio, je nun, er war höflich, hatte ein Einsehen, dieser finstere Einzelgänger, und verließ sein Haus, als der Schinken vonnöten war, um das Kunstwerk des Ostertisches zu vollenden.

Auf den Plan trat diesmal die Ortschaft Sybba, ein Jüngelchen von anmutiger Magerkeit, oder, wenn man will: ein Bindfaden mit Beinen. Die Leiter war zur Hand, sie stand schon an Bondzios Haus, und hoch auf dem Sims, in gnädiger Dunkelheit, turnte der Bindfaden herum, ging glatt durch den Rauchfang wie unsereins durch die Tür, lupfte die Schinkenblume vom Haken, pflückte sie auf seine Art und schleppte sie keuchend nach oben. Doch kaum war er oben, wer kam heranspaziert? Das Unglück selbst, noch dazu uniformiert. Das Unglück hieß Schneppat, lachte blöd und wichtig und war von Beruf Gendarm. Na, steckte seine gebrochene Nase auch prompt in diese Angelegenheit und begann ungefähr so: »Was geht hier, Alec Puch, vor sich?« Alec Puch – wer wird es ihm nicht nachfühlen? – zitterte; zitterte so lange, bis er sich ausgezittert hatte, und dann sprach er folgendermaßen: »Es ist, hol's der Teufel, doch Ostern. Das Lamm, sauber, lieblich, kleine, gaaanz kleine Schneeflocke. Und weiß! Wir wollten, ach Gottchen, von wegen Ostern dem Bondzio einen Schinken bringen. Er hat abgeschlossen, du meine Güte, und nun, um uns zu helfen, wollten wir ihm eine Freude machen und den Schinken hineinwerfen in das Haus. Gerade durch den Kamin.«

»Das ist«, sagte Schneppat nach langer Gedankenarbeit, »verboten. Es könnte, Alec Puch, leicht sein, daß unter dem Kamin Zerbrechliches steht, Eier vielleicht oder so. Ihr solltet den Schinken, aber wirklich, wieder runterbringen und es einmal, sagen wir, später versuchen.«

»Wir waren, Max Schneppat, noch nie aufsässig«, sagte Alec. »Das Gesetz geht uns, nun, es geht uns, wollen wir mal sagen: es geht uns einfach über alles.« Und damit flötete er dem Bindfaden auf dem Dachfirst, fing den Schinken auf, den Bindfaden hinterher; man wünschte sich friedlichen Ostertisch und empfahl sich.

Somit fehlten, wie man errechnet hat, auf dem Ostertisch nur noch ein paar Fläschchen, die zu besorgen die Ortschaft Schissomir ausersehen war – aus folgendem Grund: Dieses melancholische, stimmbrüchige Bürschchen hatte eine höchst seltene Begabung, die nämlich, zu jeder Zeit, wo immer es stand, ohnmächtig zu werden.

Verkniff sich einfach nur ein Weilchen die Luft, lief grün an, das Bürschchen, zauberte sich eine tragische Blässe ins Gesicht und kippte mit verdrehten Augen um. So.

Und diesmal erlaubte es sich umzukippen vor der Kneipe eines Menschen namens Ludwig

Karnickel, was zur Folge hatte, daß sich alsbald ein Menschenauflauf bildete. Ludwig Karnickel hüpfte aus seinem Kneipchen heraus, machte Männchen sozusagen, um das Unglück auch mitzubekommen, und stellte auf solche Art, und nicht zu knapp, die Fläschchen für den Ostertisch. Denn während er das Unglück begutachtete, begutachtete der schöne Alec nebst zwei Söhnen seine Regale: wonach der Ostertisch komplett war.

So saß man, mit friedlichen Aussichten, an Bord des Schleppkahns und dachte an das liebliche Lamm, als Alec Puch ein Gebrüll vernehmen ließ, wie es zu Anfang beschrieben wurde. Die Brut flog aufs Achterschiff, bildete eine zitternde Reihe, während Alec, den schönen Kopf gesenkt, herausstürzte und rief:

»Es ist«, rief er, »alles Dreck. Der ganze Ostertisch, sag' ich euch, Schmutz. Denn wir haben vergessen das Wichtigste. Und was wird, bitte schön, das Wichtigste sein? Die Gäste natürlich! Wir haben vergessen die Gäste. Wo wollt ihr, könnt ihr das sagen, zu dieser Stunde Gäste besorgen? Stehlen?« – »Es ist«, sagte die Ortschaft Quaken, »nie zu spät für alles, was sein soll. – Hab' ich richtig gesprochen?«

»Richtig«, bestätigten seine Brüder und nickten.

Dann verließ man in eiligem Schwarm das Schiffchen, schwärmte hierhin und dorthin –

Fragen, Bedauern, Kopfschütteln, mit einem Wort: es war ein Kreuz mit den Gästen, denn wie zu erwarten stand, hatten sich schon fast alle verpflichtet. Nur drei – niemand wird sich unterstehen, dies Osterwunder anzuzweifeln –, drei Gäste, mithin, waren noch frei. Es handelte sich: um die Fischfrau, um den finsteren Menschen Bondzio und den bereits bekannten Ludwig Karnickel. Man bat sie – sie kamen.

Kamen schon am frühen Morgen zum Flüßchen herab, wo der Schleppkahn vertäut lag, inspizierten die Umgebung, man wechselte Höflichkeiten, und schließlich wurde der Ostertisch gedeckt. Und dann wurde gegessen und getrunken bis in den späten Abend, man plauderte angenehm über das liebliche Lamm, vertrieb sich die Zeit mit Komplimenten und versicherte sich gegenseitiger Sympathie.

Bis – ja, bis der Schinken einmal so lag, daß Bondzio die Kerbe erkennen konnte, die er hineingeschnitten hatte. Da begann der Spektakel, an dem sich, wie es bei solchen Geschichten üblich ist, bald auch die Fischfrau beteiligte, die ihre glotzäugigen Jonasse wiedererkannt hatte, und natürlich auch Ludwig Karnickel. Man rannte über die Wiesen, verfolgte einander, schwang Knüppel und drohte, bis unversehens Alec Puch einen Schrei ausstieß, einen Schrei, welcher folgendes wiedergab: »Das Lamm!«

Und wirklich, was kam da am Flüßchen entlangspaziert? Ein Lamm, klein und weiß wie eine Schneeflocke. Die Gesellschaft stürzte hinzu, vergessen waren Streit und Drohung, man rupfte zarteste Blättchen für das Tier, streichelte es, na, man brachte sich fast um.

»Es ist«, sagte der schöne Alec, »das reine Wunder. Ehrenwort.«

Die Gäste sahen sich gezwungen, ihm beizupflichten, man schüttelte sich die Hände, umarmte einander, die Luft war erfüllt von Flötenton und Jubelklang, und als man auseinanderging, sprach der finstere Mensch Bondzio: »Es war«, sprach er, »Gevatterchen, insgesamt ein ansprechender Ostertisch. Vor allem, unter uns gesagt, weil jeder auf seinen persönlichen Geschmack angesprochen wurde. Das ist, wie man zugeben wird, nicht leicht.«

Traten in dem vorhergehenden Stück ostpreußische Originale auf, so schildert HERMANN CLAUDIUS (1878 bis 1980) in seinem Grünhöker Grimpen, verdeutscht: ein Grünwarenhändler namens Grimpen, ein Hamburger Original, auch er einer vergangenen Zeit angehörig und trotzdem – wie Hamburgs »Hummel-Hummel« – doch lebendig.

HERMANN CLAUDIUS

Grünhöker Grimpen

In der Nachbarterrasse, man hieß sie kurz: die Eimsbütteler, wohnte der Grünhöker Grimpen. Er wohnte am Ende der Häuserreihe, linker Hand im »Parterre«, dort, wo der kleine Vorgarten wegen des Schaufensters verschwunden war. Das Schaufenster war zwar nur ein gewöhnliches Stubenfenster mit dem dicken hölzernen Fensterkreuz querüber, aber es standen dahinter, schräg aufgestellt, Kisten mit Äpfeln oder Birnen oder Erdbeeren oder Kirschen – je nach der Jahreszeit. Tomaten und Bananen, die heute zu allen Zeiten verhandelt werden, gab es damals noch kaum, und Apfelsinen nur um Weihnachten herum. Sie waren immer sauer.

Grünhöker Grimpen hatte eine vierräderige, grün gestrichene Karre und einen Hund Phylax. Phylax war schon alt und hatte an Regentagen eine Wachstuchdecke über dem Rücken. Der arme Köter lief aber oft auch an trockenen und warmen Tagen damit herum; denn der alte Grimpen vergaß es, sie ihm wieder abzunehmen.

Mein Vater nannte deshalb den Hund den hundertjährigen Kalender.

Vadder Grimpen war ein kleiner rundlicher Mann und »kochte leicht über«. Wir Jungs wußten das wohl. Deshalb ärgerten wir ihn gern.

Wenn er durch unsere Terrasse fuhr und mit seiner näselnden Stimme seine Ware ausrief: »Swatte Kasbeern! Dicke swatte Kasbeern! All söt un gesund, döttig Penn' dat Pund!« so traten wir an seine Karre und fragten scheinbar arglos nach dem Preis. »Hebbt ji verdreihten Bengels Watte in de Ohrn?« sagte Vadder Grimpen spitz und rief seinen Lex weiter. Bald darauf trat ein einzelner von uns an die Karre und stellte dieselbe Frage. Vadder Grimpen hielt seinen Phylax zurück, sah den Jungen erstaunt an und sagte langsam: »Versteihst du würklich keen Plattdütsch?« Der Junge schüttelte den Kopf. »Wo is't möglich«, meinte der Alte. »Dreizig Fennige«, sagte er dann mit vorsichtiger Zunge.

Der Junge lief fort – wie er angab, zu seiner Mutter. Bald aber war ein dritter da und fragte wieder nach dem Kirschenpreis. Das war nun schon einer von uns, der Bescheid wußte, denn nun wurde es gefährlich. Vadder Grimpen hatte Lunte gerochen, ging ganz langsam um seine grüne Karre mit dem großen Haufen schwarzer

Kirschen herum – und wenn der Betreffende sich nicht schleunigst davonmachte, hatte er eine Ohrfeige weg, die gut gezielt war.

Ja, der kleine rundliche Mann vermochte so in Wut zu kommen, daß er mit schneller Hand mitten in die Kirschen hineingriff und sie uns scheltend an die Köpfe warf .

Grünhöker Grimpen hatte eine riesengroße Frau. Er reichte ihr kaum bis an die Schulter. Diese Frau hatte ein rotbackiges Gesicht, wasserblaue Augen und graues wirres Haar, durch das von vorn nach hinten eine knallblonde breite Strähne leuchtete. Diese riesige Frau besaß eine Bärenstimme. Sie hatte den Handel mit Kleinholz inne, um den ihr Mann sich nicht kümmerte. Sie kümmerten sich überhaupt wenig umeinander. Mudder Grimpen zog allein mit ihrer schottischen Karre los, den Lederriemen über die breite Schulter gelegt, und schmetterte ihren Ruf, der rettungslos bis in das geheimste Kämmerchen der Häuser zu hören war, an denen sie vorbeikam: »Dröges Fü-ü-ü-ü-ü-ü-ü-r--holt! Lüttholt! Ki-i-i-i-ienholt! – Föftig Stück for'n Grosch!« Auf die erste Silbe von Für- und Kienholt setzte sie einen heiseren, dröhnenden Triller wie ein klagender alter Ziegenbock.

Sobald ich Mudder Grimpen gehört hatte, war ich am Fenster oder auf der Straße. Nicht, weil ich etwas ausfressen wollte, oder weil die andern vielleicht etwas ausfressen konnten. Mudder Grimpen hatte damit keine Malesche. Wir hatten vor ihr Angst. Nein, ich stand nur und bestaunte ihre riesige Gestalt, die Dicke ihrer krebsroten Arme, die so dick waren, wie mein ganzer Leib, ja: ihre unglaubhafte Hinterseite, die, wenn die Riesin ging, im Takte ihres Rufes und Schrittes nach links und rechts schaukelte wie ein schlecht gerudertes Boot. Und selbst ihre Stimme war mir sonderbar. Ich mußte immer wieder zuhorchen, wenn es auch meinen Ohren fast weh tat. Hatte Mudder Grimpen Bestellung erhalten, so kam sie bald von der Straße, wo sie ihre schwere Karre stehen ließ, mit den großen Säcken beladen zurück, einen Sack unterm Arm, den andern über der Schulter. Uha! sagten die Jungs.

Eines Sonnabends – es war Ende Mai oder Anfang Juni – kam Vadder Grimpen mit seiner stattlichen grünen Karre und seinem steifbeinigen Phylax davor wieder durch unsere Terrasse. »Kasbeern! Dicke runne Kasbeern!« quäkte er vor sich hin. Die Karre war schon mehr als halb leer, und er hoffte gewiß, sie zwischen der Doppelreihe unserer Häuser auszuverkaufen, wie es öfters geschehen war. Die Frauen traten auch an die Karre heran, aber die Ware gefiel ihnen nicht recht. Frau Grunwald sah sie durch ihre Brille an und meinte: »Die fahren Sie man weiter spazieren, die Ware, wenn's Ihnen Spaß macht«. Frau

Grunwald war fein und sprach hochdeutsch. Und Frau Winandi spuckte die Kirsche, die sie zur Probe in den Mund genommen hatte, sofort wieder aus – obgleich das gar nicht zu ihrem vornehmen Namen paßte und sagte bloß: »Igitt!«

Da zog Grünhöker Grimpen mit seinem unverkauften Rest wieder ab, denn es war mittlerweile bereits dämmerig geworden. Aber er plante seine Rache. Und diese Rache kam schnell.

Der nächste Morgen war also der Sonntag. Es wohnten wohl nur kleine Leute in der Terrasse – ich will nicht arme Leute sagen – aber der Sonntagmorgen war ihnen auf auf ihre Art heilig. Es gab kein Kind, das nicht sein reines Hemd, seine reinen und sauber gestopften Strümpfe, seine blankgeputzten Schuhe oder Stiefel, seinen gutgebürsteten Sonntagsrock fröhlich zur Schau trug. Die Kinder stolzierten schon in der frühen Morgenstunde die Terrasse auf und ab. Besonders die Mädchen prahlten mit ihren weißen, gestärkten Schürzen, mit ihren roten und rosa Haarschleifen.

Die Väter lagen wohl schon in blitzsauberen weißen Hemdärmeln, die qualmende Pfeife im Munde, am offenen Fenster auf die Fensterbank gestützt und sahen dem Korso ihrer Nachkommenschaft zu, während die Mütter meistens in der Küche zu wirtschaften hatten.

An einem solchen feierlichen und sauberen

Sonntagmorgen kam Grünhöker Grimpen mit seiner Kirschenkarre, noch genau so voll, wie er gestern abend damit abgeschoben war, in die Terrasse gerattert, – und der Rachegott schob hinternach. Bis in die Mitte der langen Häuserreihe fuhr Vadder Grimpen. Dort hielt er seinen Phylax zurück.

Was rief seine quäkende Stimme, so laut sie's vermochte? Was schrie er, daß sein kleiner kugelrunder Kopf krebsrot anlief? »Kasbeern! Swatte hatte Kasbeern! Kost nicks! Hüt is Sünndag! Kost nicks! Langt man all to. Ümmer ran! Swatte hatte Kasbeern! Kost nicks ! Hüt is Sünndag !«

Eine Spanne von einer halben Minute zögerten wir noch und witterten irgendeine List bei dem Alten. Dann aber griff Willi Wellpott als erster mit beiden Händen in den Kirschenhaufen hinein. Mein Bruder Matten war der zweite, Korl Ebeling der dritte. Und dann gab es kein Halten mehr. Jungs und Mädels, kleine und große, umdrängten die Karre und griffen wacker zu. Es war eine wirkliche Kirschenschlacht ausgebrochen. Es floß auch Blut: rotes Kirschenblut. Dunkelrotes Kirschenblut floß von den Fingern und Fäusten der Jungs und Mädels auf Rock und auf Kragen, auf Schärpe und Schürze. Vergebens riefen die Mütter, die von den Vätern erregt aus den Küchen herangerufen waren, voll Schreckens aus den offenen Fenstern oder eilten auf die Straße hinunter. Zu spät. Es war schon geschehen. Der stolze Sonntagsstaat ihrer Sprößlinge war dahin.

Mit grimmem Lächeln zog Grünhöker Grimpen die schnell geleerte Karre eiligst zur Terrasse hinaus. Flüche gellten hinter ihm her. Der Rachegott saß mitten auf der Karre und strampelte vor Lust mit den Beinen.

Die Kirschen waren alle mulschig und schmeckten bitter. Ich warf sie schnell wieder zur Erde. Und die meisten machten es ebenso.

Grünhöker Grimpen aber sahen wir lange Wochen nicht wieder.

Mein Vater aber lachte und sagte: »Das ist noch ein Kerl!«

Ebenfalls mit einem Original wartet HANS FALLADA auf. Fallada (1893 bis 1947), einer der großen Schriftsteller der zwanziger Jahre, der mit seinen Romanen wie z. B. »Kleiner Mann – was nun?« und »Wer einmal aus dem Blechnapf frißt« Weltberühmtheit erlangte, war in seiner Jugend unter anderem auch eine Zeitlang als Gutsbeamter tätig. Aus dieser Zeit hat er eine Episode in der nachstehenden Geschichte festgehalten, die in seinen »Gesammelten Erzählungen« erschienen ist.

HANS FALLADA

Gänseeier im Gehirn

Auf dem Lande hatte ich einmal einen Chef, dem saßen im Kopf mehr Grappen als einem durchschnittlichen Hofhund im Fell Flöhe. Zu diesen seinen Grappen gehörte es auch, daß er auf seinem Hof keine Polizei sehen konnte. Da fehlt aber mal ein Sack Hafer oder das Schrot schmilzt dahin wie Schnee im April, aber Hannes Tiedemann sagte: »Das erledige ich schon selbst. Dazu braucht mir kein Grüner auf den Hof zu kommen.«

Und er erledigte es selbst, der wackere Tiedemann, und wie er seine kleinen Hof-, Feld-, Wald- und Wiesendiebe erledigte! Das beste dabei war, daß auch die Herren von der langen Hand nach dem anfänglichen Ärger selbst grinsten.

»Und sie gingen dahin und sündigten dergleichen nicht mehr.«

Da wuchs uns auf unserem Hof ein junger sächsischer Knabe heran, Albin Fleischer hieß er, in den Zwanzigern, und er melkte die Küh. Das heißt genau, er melkte sie nur, wenn ihm der Staat gerade Zeit dazu ließ, der schon früh durch eine ausgedehnte Fürsorgeerziehung in Albin Fleischer den Grund zu mancherlei Kenntnissen und Fertigkeiten gelegt hatte. Und als die Bestätigung dieser Fertigkeiten Albin wieder einmal eine längere staatliche Pension eingetragen hatte, und als dann seine Zeit um war und er wieder hinausgelassen werden sollte, da sagten sie im Zentralgefängnis Altholm: »Ja, wohin mit ihm? Lassen wir ihn so laufen, dann klaut er doch gleich wieder.« Und da Hannes Tiedemann großen Ruf im Lande Pommern genoß, so schrieben sie einfach auf den Entlassungsschein: ›Arbeit als Stallschweizer bei Herrn Gutsbesitzer Johannes Tiedemann in Fern-Varnkewitz.‹

Da stand er nun an einem gänzlich verregneten Tag triefend naß bei uns im Büro und erklärte uns im schönsten Sächsisch: »Heern Se, ich soll hier de Giehe mälken.«

Tiedemann besah sich dieses Bündel Menschenwerk und sprach: »Da stripp du man de Käuh!«

Und von Stund an war Albin Fleischer bei uns Stallschweizer. Eine Weile ging es mit ihm gut, aber dann trat die Liebe dazu, zu einer Kätnerstochter Mathilde im Dorf, und nun wurde es schlimm. Da sagte Hannes Tiedemann ... Aber ich merke leider, mit Albin Fleischer habe ich das falsche Ende meiner Geschichte zu fassen bekommen, und ich muß noch einmal von vorne anfangen.

Frau Tiedemann war eine kleine, fixe Frau. Sie flitzte in der Meierei und im Geflügelstall herum wie ein Wiesel, kannte jedes Huhn und wußte, wann es dran war mit Eierlegen. Aber ihr Stolz waren ihre Gänse. Und über diese Gänse wurde sie eines Tages schwermütig, denn es war Frühjahr und sie mußten eigentlich Eier legen. Und sie taten es nicht. Frau Tiedemann grübelte sich in einen tiefen Kummer hinein: was war los mit ihren Gänsen? Sie legten und sie legten nicht. Wieso kamen keine Eier? Lag es am Futter? Hatten sie zu wenig Kalk? Frau Tiedemann blieb in einem Grübeln.

Und eines Tages sagte sie aufgeregt zu ihrem Hannes: »Du, Hannes, die Weiße mit dem grauen Stutz hat heute bestimmt gelegt. Und wie ich in den Stall komme, ist kein Ei da.« Sie schimpft, einer hat es ihr geklaut. »Daß so ein armes Biest keine Sprache hat! Diese Räuber...« Und sie sah drohend über den Hof.

Tiedemann bemerkte: »Da bist du selbst dran schuld, mein Mäten. Hundertmal habe ich dir gesagt, mach deinen Hühnerstall dicht. Aber da steht ja alles offen.«

»Alles ist dicht«, protestierte sie.

»Alles ist offen«, sagte Hannes Tiedemann. »Vergangenen Donnerstag, als die Klütensuppe angebrannt war, bin ich selber drin gewesen und hab vier Hühnereier ausgetrunken.«

»Du bist das gewesen!« schreit sie. Aber er ist schon weg.

Nun bekommt der Stellmacher zu tun. Drahtgeflecht wird gekauft, enges, engeres, ganz enges. »Die Hühner gehen in den Safe«, sagte Tiedemann.

Aber es hilft alles nichts, es bleibt Baisse in Gänseeiern. Frau Tiedemann lebt unter immer stärkerem Druck.

Sie schläft nicht mehr, sie fängt an, vom Fleisch zu fallen. Eines Tages explodiert sie, sie bestellt den Landjäger. Sie bestellt ganz einfach den Landjäger und sie sagt es Tiedemann.

Tiedemann ist baff. Aber er sammelt sich: »So ein Grüner kommt mir nicht auf meinen Hof. Den bestell man wieder ab.«

Sie protestiert: »Was nimmst du ewig solch Gesindel auf den Hof .«

»Aber . . .«

Tiedemann zieht es in den Kuhstall, Tiedemann geht in den Kuhstall. Dort ist es vormittäglich still und friedlich. Die Schweizer sind nicht da, sind beim Futterholen, die Kühe stehen und liegen, wie es ihnen Spaß macht. Sie sehen dabei einander an, immer zehn Stück reihauf, reihab, schauen einander an, zwischen ihnen läuft der Futtergang. Der hinterste Futtergang an der Mauer ist nicht benutzt. Dort haben die Schweizer ein paar Ballen Streustroh liegen, alte Futterkiepen, der Rübenschneider steht dort, lauter Schurr-Murr.

Tiedemann ist tiefsinnig. Er geht gangauf, gangab, manche Kühe sagen Muh, manche kauen nur. Tiedemann kommt auf den leeren Futtergang. Er raschelt durch das Stroh, nun ist der Futtergang beinahe zu Ende. Tiedemanns Fuß stößt im Stroh an was. Er bückt sich, er wühlt das Stroh ein bißchen auseinander: ein etwas starker Osterhase, was? Elf Gänseeier. Da soll der Donner . . .! Tiedemann steht und denkt. Das Garn ist leicht abzuheddern: da ist einerseits Albin mit Vorkenntnissen, andererseits Mathilde, die Kätnerstochter aus dem Dorf. Einfache Vorgeschichte, man könnte die Eier nehmen und zur Frau bringen. Aber wie Tiedemann so dasteht und auf die Eier glotzt, da ist es, daß sich die Grappen in seinem Kopf rühren, die dicken Brummer brummen durch sein Gehirn. Sachte wühlte er das Stroh wieder zu. Alles hat seine Zeit, auch Gänseeier. Tiedemann geht über den Hof zurück zum Gutshaus. Auf dem Hof trifft er mich an. Ich bin so eine Art Mädchen für alles auf diesem Hof. Ich führe die Bücher und schreibe die Briefe, ich löhne die Leute und gebe das Futter aus. Tiedemann bleibt vor mir stehen und sieht mich glupsch an. »Sie können ja wohl englisch lesen?« fragt er mich. »So getragen und weihevoll wie ein Pastor?«

»Das kann angehen, Herr Tiedemann«, sage ich.

»Und Sie haben was Englisches zum Vorlesen?« fragte er mich.

»Ja«, meine ich zögernd. »Eigentlich nicht. Nur so englische Verse von einem Omar Khayyam.«

»Omar? Ist das Englisch?«

»Das ist ein Perser«, sage ich.

»Aber ein Engländer Fitzgerald . . .«

»Hören Sie lieber auf«, winkt er ab. »Ich habe heute Morgen noch keinen Cognac getrunken. Das Leben ist schon kompliziert genug. Fünf Minuten vor sechs gehen Sie mit Ihrem englischen Perser in den Kuhstall und langen sich den Albin. Mit dem kommen Sie dann zu mir auf meine Stube.«

»Wird gemacht, Herr Tiedemann«, sage ich und er geht weiter, ins Gutshaus, zu seinem vormittäglichen Rührei mit Speck und einem Cognac.

Fünf Minuten vor sechs bin ich im Kuhstall. »Albin, sollst zu Herrn Tiedemann kommen.«

Um sechs Uhr abends im zeitigen Frühjahr muß man schon Licht brennen, auch Hannes Tiedemann brannte in seinem Zimmer Licht, aber wie sah es aus! Rot sah es aus, geheimnisvoll sah es aus, mystisch war das. Über alle Glühbirnen hatte Tiedemann rotes Papier gemacht, das Licht war trübe und schwer, es wehte einen an: sprich leise hier. Auf dem runden Eichentisch stand eine Extralampe mit roter Glühbirne aus der Dunkelkammer, daneben stand der große Lehnstuhl. »Setz dich hierhin, Albin«, sagte Tiedemann sachte und betrübt. »Setz dich hierhin, mein Jung.«

»Herr Tiedemann«, fängt Albin an.

Aber Tiedemann drückt ihn auf seinen Platz_ »Nicht ganz hoch genug. Dein Kopf muß gerade in der Höhe der roten Birne sein. Warte mal...« Und er schleppt ein dickes Buch an. »So, jetzt langt es.«

»Herr Tiedemann«, fängt der Junge wieder an.

»Psst«, macht Tiedemann. »Kein Wort. Sonst geht es nicht.« Der Junge ist still. Ich bekomme einen Platz ihm gegenüber am Tisch, und Tiedemann stellt sich neben ihn, so daß der Kopf von Albin zwischen Lampe und Tiedemann ist. Stille. Tiefe Stille. Die große Uhr macht unendlich langsam Ticke-Tacke. Das Licht ist geheimnisvoll rot. Tiedemann räuspert sich: »Fangen Sie an, Fallada.«

Ich fange an. Meine Aussprache des Englischen ist nicht schön, ich habe Englisch in Leipzig von einem sächsischen Lehrer gelernt, so was verwächst sich nie. Aber an diesem Abend war ich weit über meinem sonstigen Standard. Es war vielleicht kein korrektes Englisch, es war eine mystische Sprache, aus Urmenschentagen. Ich fing an mit dem Vierzeiler: »Oh, Thou who Man of baser Earth didst make . . .«

Tiedemann schüttelte ernst den Kopf: »Noch nicht ganz das Richtige. Bitte weiter. Etwas Stärkeres.«

Ich fuhr fort: »There was a Door to which I found no Key . . .«

Gut. Das ist das«, sagte Tiedemann und bauz, nahm er von seinem Schreibtisch ein Riesenteleskop, so einen Fernkieker, ganz aus Messing, wie ihn die Seeleute früher hatten. Setzte das Ding dem Jungen an die Schläfe, der zuckt. Sitzt totenstill! Hannes Tiedemann kiekt durch.

Ich lese: »Ah, my beloved, fill the cup that clears today of past Regrets and future Fears . . .«

»Albin«, fragt Tiedemann mit Grabesstimme. »Albin, an was denkst du?«

Albin ist blaß und still.

»Du denkst an den Kuhstall, Albin, du denkst an den Futtergang. Du denkst an den letzten Futtergang an der Wand . . .«

»Indeed, indeed, Repentance of before I swore . . .«

»An das Stroh denkst du, Albin, was dort liegt.

Du denkst. . . warte, warte. . . Herr Fallada, feste! Lauter, Herr Fallada! Du denkst...« Ganz schrill: »Albin, Albin, wie kommen die Gänseeier in dein Gehirn . . .?« Totenstille. »Albin!!!!«

Und da kommt es leise und zermalmt: »Herr Tiedemann, Herr Tiedemann, ich will's Sie sagen: ich hab sie gestohlen. Herr Tiedemann, ich hab sie gestohlen.«

»Fallada! Laufen Sie. Du lügst ja, Junge. Sehen Sie im Kuhstall nach. Im letzten Futtergang. Im Stroh.« Ich laufe schon. Da sind sie. Die Jacke aus. Die Jacke voll Gänseeier. Zurück.

Albin starrt blöde auf die Eier. »Ich hab sie gestohlen . . . ich stehl hier nie wieder . . .«

»Geh, mein Sohn Albin«, sagt Tiedemann. »Es ist in Ordnung. Es ist alles glatt.«

An der Tür macht Albin halt, er steckt den Kopf von außen wieder herein: »Ich zeig Sie an, Herr Tiedemann, bei der Polizei. So was ist Vergewaltigung, von so was kann man verrückt werden. «

»Raus !« sagte Tiedemann nur.

Albin ist nicht zur Polizei gegangen. Albin ist nicht einmal vom Hof gegangen. Albin melkt weiter die Küh. Ich glaube, Albin hat nie wieder bei uns geklaut. Im Dorf so ein bißchen, dafür will ich keine Hand ins Feuer legen, aber die konnten ihn ja auch nicht durchleuchten. Das konnte nur Tiedemann.

Zurück vom Norden in den Süden Deutschlands. EUGEN SKASA-WEISS (1905 bis 1977), ein Meister des Feuilletons, zugleich höchst gescheiter Essayist über kulturgeschichtliche Themen und Verfasser zahlreicher Bücher, gibt hier eine Probe seines skurril-heiteren Humors.

EUGEN SKASA-WEISS

Häßliche unter sich

Es war draußen derart naßkalt, daß ich den Wunsch, unter dem regenschweren Mantel mein Taschentuch aus der Hose zu ziehen, immer mehr unterdrückte. Mein Hemdkragen war feucht und geknittert, außerdem war ich nicht rasiert. Ich empfand mich häßlich wie noch nie. Die Leute in der Straßenbahn sahen an mir vorbei, zwei Schulmädchen stießen sich blinkernd an, wahrscheinlich tropfte es von meinem Mützenschirm auf die Nasenknolle, und diese war rotgelackt vor Kälte. Die Nässe sickerte an den Mundfalten entlang – sie waren eingefallen, an den Rändern gequollen, bestimmt. So ein Scheusal mußte man suchen.

Nach einem geschlagenen Blick ins spiegelnde Straßenbahnfenster verkroch ich mich in eine trübe Genugtuung über mein miserables Aussehen und fror ohne Rücksicht auf Reputation. Vielleicht machte es Spaß, als abstoßender Haderlump dahinzufahren, Großstadt ist was Herrliches, wenn man am Rücken liegt. Ich konnte ein scheußlicher Fremder sein, niemand wies mir nach, daß ich nicht ein anderer war, keiner nahm Anstoß an mir, weil er mich kannte Ich gab mir einen Ruck nach unten und entschloß mich, irgendwer zu sein, vor dem mir grauste. Zog die Nase hoch, klapperte hinter gesprungenen Lippen mit den Zähnen und leckte mir hemmungslos einen Regenspritzer aus der Nasenrinne.

Während ich meine aufgeweichte Abscheulichkeit hingegeben genoß und aus geröteten Augenrändern von der Plattform einen halben Blick in den Wagen schickte, ob meine Calibanfigur irgendwo auf angewiderte Bewunderung stieß, trat die Schaffnerin vor mich hin. Sie war nichts Zartes, nichts, was einem Mann durch alle Glieder fuhr, selbst wenn er so zerfallen war wie ich. Ich lächelte schief und suchte kaltfeuchte Groschenstücke in der steifen Manteltasche. Sie war ein Nilpferd mit gezaustem Flachs unter der Mütze; verquollene Nase, die Augen klein und verwaschen. Ich lächelte noch schiefer, weil mir nebelhaft etwas aus der Goethezeit durch den Kopf ging – »in einem deutschen Gesichte ist die Handschrift Gottes unleserlicher als in einem italienischen« oder so ähnlich; nun, Gott hatte in ihrem Gesicht eine Pfote geschrieben, die sich sehen lassen konnte. Ich starrte ihr aus dem

Abgrund meiner eigenen Verwüstung anerkennend ins Gesicht und warf ihr, vom Eros der Häßlichen angetrieben, ein einverstandenes Stoppelbartlächeln zu. »Saukalt«, sagte ich heiser, um nicht aus der Art zu fallen, und trampelte wie eine Fleischerdogge. Sie nickte mir mütterlich gedunsen zu, und über ihre rotgelb zerkneteten Züge huschte – nein, dieses Lächeln huschte nicht, es rutschte unter ihren Hauttaschen hin und her und brachte Gottes unleserliche Handschrift aus allen Fugen.

Meine Augen durchforschten sie rotgerändert und aufmerksam; ich zog die Nase etwas vorsichtiger hoch, dann standen wir uns gegenüber, und einer gefiel dem andern. Wir kamen, während ich mir vorstellte, was für ein unvergeßlich mißglücktes Paar wir ergäben, ins Plaudern. Wir plauderten nichts Tolles und nichts Häßliches, es plauderte sich mit ihr ganz hübsch. Sie lachte wie durch geriebenen Meerrettich, aber es war ziemlich weiblich, ich lachte wie ein gerupfter Kapaun, ob es männlich klang, weiß ich nicht, aber ich ließ davon ab, dabei zu zittern. Es war ein dickfälliges Signalgeplänkel unter Leuten, die von hübschen Menschen nicht mehr gesehen werden und sich füreinander wie geschaffen finden. Zwar wollte ich nicht gerade attraktiver werden als vorhin in der Fensterscheibe, aber appetitlicher. Es gefiel mir, daß ich ihr gefiel, und sie gefiel mir deshalb auch.

Mit der aufgesprungenen Hand strich sie eine der ausgebleichten Wergzotteln hinter das rote Ohr; nachdem ich ihr gefallen hatte, wollte ich ihr ein wenig mehr gefallen, ich wischte mir holzfällerhaft über die kratzige Kinnpartie. Daß noch irgendwas an einem dran ist, während man gerade in anonymer Häßlichkeit untergeht wie ein Wrack, daß da noch eine hinschaut und sich die Haare hinterstreicht – ist das nicht wunderbar? Ob alle Häßlichen sich so verständigen?

Ein ungeheurer Verdacht stieg mir plötzlich auf. Liebe macht zunächst einmal blind. Faust sieht Helenen in jedem Weibe, und der historische Giacomo Casanova war ein nachgewiesenes Mickermännchen – ob diese Häßlichen nicht intensiver lebten als die Netten?

Vor Jahrzehnten hatte sich bei uns im Seminar ein zerknautschtes Paar gefunden, er mit einem kahlen Eierkopf, krummbeinig, froschgesichtig, voller Talggeschwülste, sie eines der betagtesten Spinnwebmädchen, die zwischen Universität und Mensa hängenbleiben können, von grauen Rüschen und Halsrunzeln überwuchert, mit fingerdicken Stahlbrillengläsern. Wir tauften das alte Mädchen »Zwölftes Jahrhundert« und ihn den »Quamquam«, eingedenk des Ovidschen Froschfluchs »Quamquam sint sub aqua, sub aqua . . .«

Sie aber liebten sich. Sie liebten sich unzertrennlich. Wir waren jung und konnten's nicht fassen, wir lachten uns tot über sie, unverblümt, Jugend ist nicht fein in solchen Dingen. Aber sie waren beide so häßlich, daß ich jetzt noch lächeln könnte, wenn ich nicht so fröre. . . nein, wir beide, die Nilpferdschaffnerin und ich, wir waren schon ein wenig genießbarer, eine kleine Nuance doch. Wenn wir zusammen tanzten, sähen wir nicht viel schlimmer aus als andere auch. Ich hatte zu tun, daß ich nicht feurig aus meinen Regenstoppeln zu ihr hinüberblickte. Sie zwirbelte einen Fahrschein, den sie mit einem flotten Matronenächzer aufgehoben hatte (wobei wir mit den Köpfen fast zusammenstießen), in den Papierkasten. Wir nickten uns zu und lächelten, jeder in seiner vertrottelten Ungepflegtheit, so gut und albern es eben ging.

Dann kam die Endstation. Ich mußte hinüber zur Bus-Haltestelle, und sie wünschte mir rauh, daß der Bus bald käme. Ein Herzenswunsch. Denn es nieselte wüst.

Durch die zufahrende Glastüre winkte sie mir verstohlen nach. Ich zwinkerte mit regentriefendem Grinsen zurück. Die Straßenbahn machte an der Endstation eine ovale Runde – plötzlich preschten die Wagen an der Bus-Haltestelle noch einmal vorbei. So struppig und swinegelhaft ich dastand – mein Blick suchte sie. Sie stand winkend, mit verrutschtem Lächeln, an der gleichen Stelle und machte keine Anstalten, die neuen Fahrgäste zu beachten. Hübsche Fahrgäste hatte sie eingesammelt, propere Leute. Eigentlich, durchfuhr es mich, ist sie unter uns häßlichen Vögeln ein ganz aparter Kerl. Vielleicht war ich jetzt auch ganz apart, durch die beschlagene Scheibe aus der Ferne betrachtet, mit meinen rinnenden Mundwinkeln und den behutsam zitternden Hosenbeinen.

Eine entzückende Blondine ging neben mir auf und ab, mit kurzgeschrägten Wimperntuschstrichen von beiden Lidwinkeln aufwärts, was ihr Gesichtchen pikant und studierenswert machte. Aber sie ging mich nichts an. Eine andere Welt. Der große Haufe. Kurz abgesprungen vom Karussell des Sex Appeals, zum Umsteigen in das nächste Karussell. Konnte mich nicht erschüttern.

Auf einmal verstand ich, wie es zuging, daß jedes Deckelchen sein Töpfchen fand. Wieviel verwegene Liebesmagie vermutlich zwischen Leuten, die man im Grunde gar nicht anschaut; denn diese Häßlichen finden sich, das kennt man doch.

Wie es angeht, habe ich jetzt mitgemacht – nicht anders als bei den netteren Leuten auch, nur mit einem kleinen Schlucke-Schock im Hintergrund. Einen fernen Glasschimmer der enteilenden Bahn sah ich noch aufblitzen; ein dunkles Pünktchen auf der hinteren Plattform, ein winkendes Pünktchen. Aus der Traum. Als schniefendes Pünktchen mit Zitterknien blieb ich zurück, klein und häßlich, ja, so sagt man. Diesmal trifft's den Nagel auf den Kopf. Die süße Wimpernstrich-Blondine aus der hochgestochenen Welt konnte mir gestohlen werden, dieses menschliche Bonbon – dort fuhr ein Frauenherz, das ich mit meiner reichen Häßlichkeit erschüttert hatte, dahin für alle Zeit und Ewigkeit. Die Pflicht hielt Caliban in mir zurück, welcher Segen ist doch oft die Pflicht. Ich zog die Nase sorgfältig hoch und lobte mich, als die Blondine angewidert zuckte.

Dann kam der Bus. Acht Stationen als zerknautschtes Scheusal, mit Leuten, die mich herzhaft übersahen. Dann zum Friseur. Den nassen Mantel hing ich an die Heizung, wärmte mich und fand ein Taschentuch in meiner Hose. Glattrasiert und mit frottierten Mundwinkeln verließ ich den Laden. Die Vergangenheit war abgestreift, herausfordernd blickte ich um mich.

Niemand zeigte an mir Interesse.

Ein weiterer weitbekannter Feuilletonist ist der Urmünchner SIGI SOMMER (geb. 1914), der als »Blasius der Spaziergänger« in vielen Kurzgeschichten Menschen und Begebenheiten des Münchner Alltags bissig-heiter-melancholisch festgehalten hat. In seinem Buch »Meine 99 Stories« ist die nachfolgende kleine Geschichte aufgezeichnet.

SIGI SOMMER

Kleine Reise rings im Kreise

Das Vergnügen kommt an jedem schönen Tag mit dem Rad um neun Uhr vormittags. Ein mildes Dreißig-Pfennig-Lächeln im Gesicht und in der Hand einen langen Schlüssel. Es ist der alte Karussellmann vom Englischen Garten, der jeden Tag vom nahen Wahnmoching gemütlich auf seinem Mercedes-Einsitzer »Kling-Kling« herüberkurbelt. Und die kleine Kundschaft wartet dann schon mit dem angewärmten Messing-Zehnerl in den sauber gewaschenen Liliput-Händen. Bis das Märchenreich vom Struwwelpeter und dem bitterbösen Friedrich, die alle die kreisende Reise ins Zauberreich als aufgemalte Statisten mitmachen dürfen, aufgesperrt wird.

Der Schwabinger Bildhauer Josef Erlacher hat das alte Karussell 1913 erbaut und auch die Fabeltiere geschaffen: die stolzbrüstigen Cavallos, die großen gehörnten Steinböcke, den Vogel Strauß, der ein eigenes Türl zum Einsteigen hat, die Giraffe mit ihrem langen Schnorchelhals, den Storch mit ganz besonders wuchtigem Baby-Schnabel und den Schwan, dessen Brüder auch heute noch lautlos auf dem nahen Schwabinger Meer dahingleiten. Das Karussell selber geht wie auf Socken, denn es wird elektrisch betrieben, und eine Frau mit einem ungemein gutmütigen Kleinkinder-Gesicht und weißen Zuckerwatte-Haaren befehligt das Stahlwalzen-Orchester, das achtzehn wunderschöne Melodien aus liebgewordenen Operetten in die frühwarmen Nachmittage dudelt. Die Gesichter der kleinen Fahrgäste aber wettstreiten im Glanz mit den siebzehn bescheidenen Glühbirnen, die von der Decke das geheimnisvolle Halbdunkel, in dem die Fahrt hinter die sieben Berge stattfindet, beleuchten. Und alles, was es an guten alten Münchnern gab, so berichtet die freundliche Ringelspiel-Frau, von der Liesl Karlstadt bis zum Adolf Gondrell oder dem Oskar Paulig, hat einst auf den hölzernen Rücken der lautlos wiehernden Pferde das höchste Glück der Erde genossen.

Ein winzig kleines Schlitzohr, ein Schlüsselkind mit großer Zukunft, stellt sich dann meistens breitbeinig vor den Eingang hin und versucht ein bißchen hilflos die Aufschrift auf der alten Rundherum-Kutsche zu entziffern. »Schlittenfahren und dazu noch Reiten – macht Fröhlichkeit zu allen Zeiten« steht dort in sauberem Ölfarben-

Deutsch. Und fast jedesmal kommt dann irgendein gönnerhafter Onkel, nickt erhaben zu den Buchstabier-Bemühungen des kleinen Mannes und sagt mit großer Gewißheit: »Wennst as ganz les'n kannst, Bürscherl, nachat derfst amoi fahr'n.« Und flugs plappert das kleine Schwindelmäulchen dann das Verslein anstandslos herunter. Denn der winzige Spargel hat es natürlich längst auswendig gelernt.

Manche Mütter stellen ihre Bibabuzelmänner auch vor schwerwiegende Probleme, indem sie fragen: »Spotzilein, mogst jetzt liaba a Eisilein oda Karussellfahrilein?« Worauf manches von den schlagfertigen Herzbinkerln mit reiner Stirn erwidert: »Zuerst fahren, dann Eisi-Eisi.« Dann kommt eine von den neumodischen Super-Mamis daher. Die Haare lang, strähnig und knallrot gefärbt wie italienische Spaghetti in Tomatensauce. Zuerst hat sie vielleicht schon die Absicht, ihr kleines Schneewittchen einmal kreisen zu lassen. Doch dann geht sie lieber an den nahen Automaten und schmeißt sich eine Schachtel Filter heraus. Da nimmt halt die gute Karussell-Fee das kleine Butzerl und läßt es hinten auf dem geduldigen Apfelschimmel umsonst aufsitzen. Nicht jedoch, ohne der herzlosen Teigwaren-Loreley einen bitterbösen Triangel-Blick an ihren Minirock zu heften, der ihr sowieso nur knapp bis über die Augenbrauen geht.

Ein junger Schockemöhle klammert sich verzweifelt mit seinen blassen Weißwurst-Beinchen und mit bleichen Fingerknöcheln auf dem galoppierenden, hölzernen Halbblut fest. Auf einmal aber tröpfelt es dann doch leise über die Steigbügel herab. Doch das kann wohl nicht ein vorolympischer Schweiß sein. Denn nachher zeigt sich auf dem abgesessenen Gabardine-Höschen ein dunkel- feuchter, herzförmiger Reiterbesatz.

Pensionisten wackeln mit dem Kopf zu der dünnen Mundharmonika- Melodie und nicken sich gegenseitig bestätigend zu, wenn die vergessene Weise ertönt: »Mädel aus dem schwarzen Walde sind nicht leicht zu haben.« Sie müssen es ja wissen, denn sie waren dort einmal drei Tage einquartiert gewesen. »Anno fünfzehn war des, bei de Schwulischä« sagen die Graubärte. Aber sie sehen so alt aus, daß sie der erstaunte Jüngling mit der Bouclé-Frisur, der das hört, am liebsten höflich fragen möchte: »In welchem Jahrhundert denn, bittschön?« Und ein blutjunges Mütterchen, das sein Schleifen-Mariele gerade in den Schwan verladen hat, summt ganz leise und mit traurigen Augen mit: »O du himmelblauer See – stille mein Herzeleid, stille mein Weh.« Vielleicht denkt sie daran, daß sie doch gerade selber noch ein Kind war. Oder sie hat wirklich ein großes Herzeleid. Möglich wär's schon, denn an ihrem rechten Finger fehlt leider der güldene Reif der Endgültigkeit.

Auf den nahen Bänken sind ein paar Omas aus den Schuhen geschlüpft. Sie bewegen die Zehen, als ob sie Schreibmaschinen-Unterricht damit nehmen wollten. Und ein müder Haklstecken-Gast ist eingeschlafen. Das Kinn auf den Griff seines Nußbaum-Kameraden gestützt. Wenn er bloß nicht mit dem Kopf auf die Bank fällt. Aber es wird schon nicht viel passieren, denn Kinder und alte Leute haben doch immer einen Schutzengel, der dann schnell noch den Heiligenschein zwischen sie und das kleine Unglück schiebt.

Und hinter einem der kreisenden Pferde steht der alte Hofrat Geiger persönlich und hält scheinheilig sein winziges Enkelchen fest beim Fahren. Dabei wäre er doch selber so gerne noch einmal auf so ein Hüttehott-Rößlein gestiegen. Aber er schmunzelt nur und denkt vielleicht an die sanft sentimentalen Verse aus der Giesinger Mondscheinserenade, in der es doch so schön heißt: »Wenn i des dad / war'n d'Leit net schtad / den oidn Deppn, dadns sog'n / hat's Hirnvadraht – – –.«

Noch eine kleine Münchner Skizze, in der HELMUT SEITZ (geb. 1931), Feuilletonist und Mitarbeiter an der Süddeutschen Zeitung, eine wahrscheinlich nicht nur typisch bayerische Männer-Eigen-Unart zur Erheiterung der Frauen aufs Korn nimmt.

HELMUT SEITZ

Rezept gegen Haferlgucker

Da kannst du machen, was du willst: Manchen Männern ist das einfach nicht abzugewöhnen. Am Sonntagvormittag so gegen elf stehen sie plötzlich dort, wo man sie sonst die ganze Woche nie zu sehen bekommt. In der Küche nämlich. Und im Weg herum. Ganz ohne Grund. Bloß so. Die Hände in den Hosentaschen. Und die blanke Neugier im Gesicht.

Was er hier will? Mei . . . eigentlich gar nichts. Bloß einmal 'reinschauen halt. Und genau das tut er dann auch. Vorsichtig hebt er den Deckel von einem Topf. Mhm- also Reis gibt's heut'. Prima Aber sag amal, Mutti – muß der nicht schon vom Herd? Der schaut fei schon ziemlich gatschig aus, oder?

Kluge Haus- und Ehefrauen überhören so etwas. Solche mit einem weniger robusten Nervenkostüm reißen ihm den Deckel aus der Hand, knallen ihn auf den Topf (den Deckel) und funkeln ihn (den Mann) so grantig an, daß er eigentlich wissen müßte, wieviel es geschlagen hat. Aber ein Ehemann hat halt meistens eine ziemlich dicke Haut. Weshalb er auch ohne Angst und Zögern den nächsten Deckel hebt. Aha, da schau her: ein schönes Gulasch. Haut schon! Aber . . . setzt das nicht schon ein bißl unten an? Das muß wahrscheinlich amal umgerührt werden. Und da er bekanntlich ein Tatmensch ist, tut er das auch gleich. Schnappt sich einen Kochlöffel und rettet das Gulasch im Handumdrehen vor dem Anbrennen.

Kluge Haus- und Ehefrauen. . . siehe oben. Weniger gelassene sind in diesem Moment fast auf hundert und streifen ihn mit einem eisgekühlten Rasierklingenblick, der ausreichen würde, um bei jedermann eine Gänsehaut hervorzurufen. Bei jedermann – nur nicht bei einem Ehemann. Denn dieser hält nun ungerührt in seiner Rührung inne, fischt sich mit dem Kochlöffel eine Kostprobe heraus und schmeckt einmal ab, ob auch mit den Gewürzen alles in Ordnung ist.

Kluge Haus- und Ehefrauen und solche mit seelischer Hornhaut sehen sich das immer noch gelassen an. Die nervlich labileren hingegen fragen ihn mit letzter Selbstbeherrschung, ob der liebe Mann nicht lieber seine Zeitung lesen will. Und dabei zittert ein Unterton in ihrer Stimme mit – also: Der Waggi würde bei diesem Vibrato den

Schwanz einklemmen und sich schleunigst in Sicherheit bringen. Denn Hunde haben ja bekanntlich eine feine Witterung für heraufziehende Katastrophen. Der Ehemann hingegen nicht. Sonst würde er nämlich nicht sagen: Mhm. Jaa. Schmeckt schon ganz gut so. Ich komm bloß im Moment nicht drauf, was da noch fehlt. Ob man vielleicht eine Spur Senf hineintun sollte – was meinst du, Mutti?

Wenn die Mutti mit den Nerven nicht sehr auf der Höhe ist, dann explodiert sie spätestens jetzt. Mit Blutdruck 180 und mit der Phonzahl eines Mopeds wird sie ihm ins Gesicht fauchen, er solle doch gefälligst gleich selber das ganze Mittagessen kochen, wenn er alles besser weiß. Und das ist natürlich in jedem Fall ganz falsch. Denn entweder ist er dann beleidigt. Oder aber – was fast noch schlimmer wäre – er tut's tatsächlich !

Nein, kluge Haus- und Ehefrauen mit robustem Gemüt lassen sich nicht zu solchen Ausbrüchen hinreißen. Wenn's ihnen zuviel wird, dann fragen sie ihn ganz sanft, ob er eigentlich den wackelnden Fuß am Wohnzimmertisch schon in Ordnung gebracht hätte? Und ob er nicht, wenn er sowieso schon in der Küche ist, gleich den neuen Geschirrtuchhalter an die Wand dübeln könnte?

Der Erfolg ist verblüffend. Ein Ehemann, dem am Sonntagvormittag solche Fragen gestellt werden, läßt sich unter Garantie bis zum Mittagessen nicht mehr blicken. Jedenfalls nicht in der Küche. Weil ihm nämlich gerade in diesem Moment einfällt, daß der Hund eigentlich schon lang Gassi geführt werden muß. Oder daß er sich aus dem Geschäft eine sehr wichtige Fachzeitschrift heimgebracht hat, die er leider nur bis zum Montag behalten darf. Oder daß ihm die Zigaretten ausgegangen sind. Oder halt sonst irgend was sehr Wichtiges, was absoluten Vorrang hat und deshalb umgehend zu erledigen ist.

In seinem Buch »Mein blaues Wunder/Lebensmosaik eines Humoristen« hat HANS REIMANN (1889 bis 1969) die vielverschlungenen Pfade seines Werdens und Wirkens als Schriftsteller und Literaturkritiker aufgezeichnet, mit – wie es in einem Nachruf auf ihn hieß – »unentbehrlichen Seitenblicken (manchmal auch Seitenhieben) auf das Personarium eines halben Jahrhunderts. Zu diesem »Personarium« gehörten auch die berühmten Münchner-Brettl- Schauspieler Karl Valentin und Liesl Karlstadt, die er in dem nachstehenden Stück in allen ihren Eigenheiten köstlich porträtiert.

HANS REIMANN

Mit Karl Valentin auf den Wendelstein

In München hatte ich eine »Nachtvorstellung«. Im Schauspielhaus. Während der Pause begrüßte mich Roda Roda, ders kaum erwarten konnte, Amerika heimzusuchen. Die Kabine für ihn und Eulenberg war reserviert – auf der »Yorck«. Zwölf Tage dauerte die Überfahrt. Als ich den Vielbeneideten auf die Bühne bat, um mit ihm eine Stegreifszene aufzuführen, wollte der Beifall für den Kollegen mit der roten Weste kein Ende nehmen.

Am nächsten Vormittag war ich verabredet mit Valentin und der Karlstadt, denen man ein vierzehntägiges Engagement in Zürich angeboten hatte. Noch zögerte Valentin, den Vertrag zu unterschreiben. Die Reise und zumal die Berge flößten ihm Angst ein. Es wäre das erste Mal gewesen, daß er außerhalb Münchens auftrat. Die Anziehungskraft der Fränkli war ebenso mächtig wie die des Dollars.

Günstig traf sichs, daß ich für die gleiche Zeit nach Zürich abgeschlossen hatte. So war ich denn eines erquickenden Umgangs sicher.

Was die Berge anging, so beruhigte ich den Angstmeier, und als ich ihm vorschlug, kommenden Bußtag mit der Liesl und mir auf den Wendelstein zu fahren, um einen Vorgeschmack der Schweiz zu gewinnen, war er anfangs zwar entsetzt, ließ sich aber dann breitschlagen. Für alle Fälle konsultierte er (am selben Vormittag und in unserer Begleitung) den Sanitätsrat Höselmeyer, und da der Arzt das Unterfangen nicht nur billigte, sondern prima fand, bekräftigten wir durch Handschlag, den Bußtag auf dem Wendelstein zu verbringen.

Warum Bußtag? Es war der einzige Tag des Jahres, wo uns das Auftreten behördlich untersagt war. Komisches oder Humoristisches durfte bußtags nicht stattfinden. Der Liesl hing »Der Müller und sein Kind« ohnehin zum Hals heraus: die beiden hatten den Kitsch bereits elfmal geschluckt. Das eine Mal gleich zweimal, am Nachmittag und am Abend. Bußtags gingen die beiden eisern ins Theater. An Bußtagen durften sie im Parkett sitzen, statt auf der Bühne stehen zu müssen. An Bußtagen sahen sie sich Raupachs greulichen Schmarren an. Es war Brauchtum.

Unlängst hatte Brecht den Valentin zu einer Generalprobe von »Trommeln in der Nacht« geschleift, aber der arme Mensch hatte es nicht bis zum Finish ausgehalten. Wenn schon Theater, sagte er, dann lieber »Der Müller und sein Kind«. Aber gegen eine Expedition auf den Wendelstein hatte er nichts einzuwenden. Vorausgesetzt, das Wetter blieb einigermaßen.

Valentin war 1,73 m. Der Wendelstein ist 1837 m. Über den Wendelstein ist nicht viel zu sagen. Desto mehr über den Valentin. Für diejenigen, die ihn nicht gekannt haben, ein paar Bemerkungen. Erstens. Er legte Gewicht drauf, daß man Falentin sagte und nicht: Walentin. (Und motivierte es damit, daß man ja den Vater auch mit F sprach und nicht mit W.) Zweitens: er war beileibe kein rassereiner Bayer. Wenn Bajuwaren heiraten, so kommt im Idealfall ein Weiß Ferdl heraus, aber im Leben kein Valentin. Weiß Ferdl war die Inkarnation des Bayerntums. Valentin war ein Kompositum aus Hessisch (Papa) und Sächsisch (Mutti). Daher sein Hang zum Tüfteln und Basteln. Auch das Störrische in seinem Charakter wies nach Sachsen, die Neinsagerei, die Verbohrtheit, das Rabulistische. Was eitle Literaten in ihn hineingeheimnist haben, braucht man nicht alles zu glauben. Valentin war kein Philosoph, kein verkappter Tragiker. Eigentlich auch kein Humorist. Obwohl er witzig sein konnte und der Sprache gegenüberstand wie ein kleines Kind, das die Wörter wörtlich nimmt und das ganze Trara als Phänomen empfindet. Nein, Humor hatte er wenig und selten. Einen skurrilen oder bissigen. Seine Domäne war die Komik. Davon und dafür lebte er, damit verdiente er sein Brot, darin war er unvergleichlich. Man mußte ihn sehen. Schallplatten von ihm zu hören, also ohne optischen Eindruck, ist ziemlich sinnlos. Mindestens befremdend. Über vereinzelte Passagen mag man lachen – im großen und ganzen wird man den Eindruck nicht los: da quasselt ein Narr. Das war er tatsächlich. Oder sollte ein Mensch, der nur aus Komplexen besteht, normal sein? Valentin litt an Platzangst, trug immerfort eine Apparatur zum Inhalieren (Asthma) und einen Revolver (man kann nie wissen) in der Tasche, las Gruselgeschichten, litt entsetzliche Angst vorm Sterben, spielte mit einer Guillotine und sprach, als sich am Rosenmontag 1948 der Vorhang senkte: »I hab net gmoant, dassas Schterm so scheen is«

Ausgesehen hat er wie ein Hungerleider, sein Gewicht betrug unverändert 93 Pfund, von Haus aus war er Möbelschreiner. Die Tücke des Objekts schwebte als damokletischer Dauerzustand über seinem Denken und um sein Tun, er liebte

Feuerwerk über alles, Preußen war ihm ein Dorn im Auge, angefangen hat er als Clown mit einer acht Zentner schweren selbstkonstruierten Musikmaschine, und, des Pudels Kern, ohne die Liesl Karlstadt wäre er nie der Valentin geworden.

Die Liesl war Mitverfasserin aller seiner auf der Probe entstandenen Burlesken, seine Reifenhalterin und Souffleuse, sein mit himmlischer Geduld begabter guter Geist. Wo jedem anderen die Nerven explodiert wären, blieb die Liesl gütig und friedlich. Sie dirigierte ihn, und er ließ sich dirigieren. Zweifellos hätte sie auch das Kunststück fertiggebracht, den verschrobenen Hallodri zu einer Besteigung des Mount Everest zu überreden. Es war aber bloß der Wendelstein geplant.

So einfach hat sich die Spritztour freilich nicht abgewickelt. Wir verfrachteten den Valentin in einen Wagen. Auf dem Hauptbahnhof in München. Separates Abteil zweiter. Eckplatz bis Rosenheim. Vom Hauptbahnhof ist der Personenzug zum Südbahnhof gerollt, und vom Südbahnhof nach dem Ostbahnhof. Das hat eine geschlagene halbe Stunde gedauert. Auf dem Ostbahnhof knurrte Valentin, dem die ewige Fahrerei schon arg zuwider war: Gottseidank, daß ma endlich in Rosenheim san.«

Derweil waren es noch zweidreiviertel Stunden bis dahin.

Als wir ankamen, brach der Abend herein. Wir

haben in Rosenheim übernachtet. In der Früh ist dem Valentin speiübel geworden, als er die Berge erblickte. Dennoch hat er sich aufgerappelt und ist hinter uns her getrottet. Wir sind bis Brannenburg gefahren und zum Endpunkt der Zahnradbahn.

Damit er nicht unliebsam auffalle, hat der Valentin sein gewöhnliches Alltagsgewand angehabt. Er war eingemummt in einen derben Lodenmantel, auf dem Haupt hatte er einen schwarzen Goggs, in der Hand hielt er einen Stecken und unterm Arm »Bilz, Gesundheitslehre«. Weil er unterwegs ein schönes Buch lesen wollte.

In 35 Minuten bringt die Zahnradbahn ihre 10 km hinter sich. Diese 35 Minuten bedeuteten für Valentin, der nicht aus dem Fenster einer im dritten Stock liegenden Wohnung zu kucken imstande war, die Qual aller Qualen. Kleinlaut und erbärmlich hat er vor sich hin geglupscht.

Droben angelangt, ist er abermals hinter uns her getrottet, den Blick verbissen zu Boden gesenkt.

Der Wirt hat ihn gleich erkannt und bewillkommnet und hat ihm Küche und Keller zur Verfügung gestellt, aber der Valentin hat nichts weiter gemocht als seine ehemals königlich bayerische Ruh.

Dann ist ein junger Mann an unsren Tisch getreten, hat sich vorgestellt als Ingenieur Piloty und hat uns aufgefordert, mit ihm zu kommen und die Höhle zu besichtigen, deren Einstieg knapp fünf Minuten vom Haus entfernt sei – unterhalb des Kirchleins.

Dem Valentin ist alles wurscht gewesen, und weil die Liesl und ich Lust bekundeten, die im Baedeker nicht vermerkte und auch sonst unbeachtete Grotte aufzusuchen, so haben wir uns auf den Weg begeben.

Vor der Höhle hat uns der Valentin gebeten, allein mit dem Ingenieur loszupilgern. Höhlen seien nix für Leute seines Schlages. Die Karlstadt und ich meinten, es werde eine normale Höhle sein, die man in ein paar Minuten schafft, nahmen die Windlichter, die uns Piloty reichte, und folgten ihm.

Valentin jedoch hockte sich ins Gras und wendete seine Aufmerksamkeit einem Käfer zu. Krampfhaft. Damit er nicht in die Ferne blicke.

Hier tritt in meiner Reportage ein einstündiger Unterbruch ein. Die Besichtigung der Höhle war nämlich keineswegs eine Sache von Minuten – sie nahm vielmehr viel mehr ein.

Als wir die Höhle hinter uns hatten . . . gerechter Vater! Gewitter ist kein Ausdruck für das, was inzwischen hereingebrochen war. Selbstredend hatten wir keinen Donner gehört und auch nicht das Hageln. Es war, als ob die Welt in Trümmer gehe. Der Himmel bullerte und tobte und schüttete Eisbatzen herab, groß wie Industriekartoffeln. Sämtliche Wolken waren aus dem Leim gegangen, die Blitze zuckten, und fürchterlich rumpelte die himmlische Kegelbahn.

Die Karlstadt klagte bitterlich, daß sie ihren Valentin im Stich gelassen hatte, und sobald die entfesselten Elemente eine kleine Pause machten in ihrem Paroxysmus, flitzte sie, was die Kräfte hergaben, zum Unterkunftshaus, den Valentin zu suchen.

Wir fanden ihn hinterm Ofen – grün und bleich und morsch. Er hatte die Sprache verloren und hängte seine Pupillen heraus wie ein Bernhardiner, der in den letzten Zuckungen liegt.

Das Unwetter kroch von dannen. Valentin rührte sich nicht vom Fleck. Ein Blitz hatte ins WC eingeschlagen und einem Wandersmann ein Stückchen Wendelstein in den Rücken geschleudert. Sonst war nichts von Belang geschehen. Abgesehen davon, daß Valentin fast die Sprache verloren hatte und die Karlstadt für den elektrisch betriebenen Wolkenbruch verantwortlich machte.

Im Gebirge ist es ein eigen Ding mit dem Wetter. So rasch, wie die schwarzgelben Massen dahersegeln, so hurtig ziehen sie Leine. Es strahlte denn binnen kurzem ein halbwegs blauer Himmel. Valentins Besinnung und Sprache kehrten zurück. Der erste Satz, der sich seinen Lippen entrang, lautete:

»Hier bleib ich keine Sekunde!«

»Also fahrn ma hinunter«, entschied die Karlstadt.

»Nicht um die Welt!« brauste Valentin auf.

»Also gehn ma hinunter nach Bayrisch-Zell.«

»Nicht um die Welt!«

Also bleim ma herobn.«

»Nicht um die Welt!«

Dreierlei stand fest: Valentin fuhr unter gar keinen Umständen mit der teuflischen Zahnradbahn. Valentin lief unter gar keinen Umständen auch nur einen einzigen Schritt zu Fuß. Valentin blieb unter gar keinen Umständen auf dem Wendelstein.

Und außerdem stand ein viertes fest: Valentin wünschte sich auf der Stelle nach München zurück, in seine Behausung.

Der freundliche Wirt bot ihm das beste Bett an. Valentin ergrimmte ob dieser Zumutung.

»Wenn ich hier heroben Blinddarmentzündung krieg – Sie ham ja net amal ein ordentliches Krankenhaus bei der Hand.«

Die Karlstadt und ich warfen die Rucksäcke über und bereiteten uns zum Gehen. »Nacha bleibst allein da, wennst grantig bist!« entschied die Liesl.

Valentin: »Des waar ja ein Verbrechen.«

Die Anwesenden überredeten und überzeugten den Valentin, daß die Zahnradbahn das allein in

Betracht kommende Mittel sei, den Berg mit heiler Haut und flugs zu verlassen.

Valentin erhob Einwendungen: »Wenn aber den Lokomotivführer unterwegs der Schlag trifft?«

»Dann ist ein zweiter Lokomotivführer als Ersatz dabei.«

»Wenn aber den zweiten Lokomotivführer auch der Schlag trifft?«

»Zwei Lokomotivführer werden nicht gleichzeitig vom Schlag getroffen.«

»Es braucht ja nicht gleichzeitig sein. Der Schlag kann sie ja hinternand treffen!«

»Zwei Lokomotivführer werden nicht hinternand vom Schlag getroffen.«

»Wenn aber der Blitz einschlagt in die Bahn?«

»Er schlägt nicht ein. Das Gewitter ist ja vorüber.«

»Vorhin war auch keins da, und trotzdem ist eins gekommen.«

»Ja aber ehe das Gewitter kam, war eben keins da, und jetzt ist eins gewesen, und das ist vorüber, und darum kommt keins mehr.«

»Und wenn die Bremse versagt?«

»Die Bremse kann beim besten Willen nicht versagen.«

Die Karlstadt, vorsorglich wie sie ist, hatte sich von der Wirtin ein starkes Schlafmittel geben lassen und den Tee damit gewürzt. Valentins ohnehin erschöpfter Corpus wehrte sich kaum gegen die anschleichende Übermüdigkeit.

»Wenn aber die Bremse *trotzdem* versagt?«

»Dann ist noch eine Reservebremse da, die bestimmt nicht versagt.«

»Und wenn die Reservebremse versagt?«

»Dann ist immer noch die automatische Bremsvorrichtung da.«

Valentin ließ sich zur Lokomotive geleiten. Piloty erklärte die winzigsten Einzelheiten. Um gegen unvorhergesehene Einwirkungen von unten gefeit zu sein, kroch der Valentin sogar zwischen die Räder und lugte der Lokomotive unter die Röcke.

Darüber schlummerte er ein.

Behutsam verstauten wir den von Schlaganfällen, Wolkenbrüchen und Bremsvorrichtungen süß Träumenden, und, ohne zu erwachen, langte Valentin im Tal an.

Nach diesem Mißgeschick war es nicht ganz leicht, den Valentin zur Unterzeichnung des Kontraktes für Zürich zu bewegen. Aber der Direktor bestand hartnäckig auf der telefonischen Zusage, die er von der Liesl bekommen hatte; zweitens erhöhte er die Gage; drittens war im dezemberlichen München eh nichts los; viertens handelte sichs nur um vierzehn Tage . . . kurz und gut, Valentin gab sein Einverständnis, und wir schieden mit einem »Auf Wiederschauen in Zürich!«

JEROME K. JEROME, Engländer (1859 bis 1927) – wer den Namen kennt, erinnert sich sogleich seines Buches »Drei Mann in einem Boot«, das zu den meistgelesenen Büchern der englischen Literatur gehört. Er erzählt darin, wie er und seine Freunde George und Harris den Plan fassen, ein Boot zu mieten, um mit diesem einen vierzehntägigen Ausflug die Themse aufwärts zu unternehmen, was zu einer einzigartigen Kette von komischsten Situationen führt. Ein Auszug aus dieser Geschichte ist wegen der notwendigen Länge nicht möglich, aber die nachstehende kleine Episode daraus gibt immerhin eine Probe des Humors dieses Autors.

JEROME K. JEROME

Mein Onkel Podger

Am folgenden Abend waren wir dann wiederum beisammen, um unsere Pläne und Vorbereitungen weiter zu besprechen. Harris meinte: »Das erste, worüber wir uns jetzt einigen müssen, ist, was wir mitnehmen wollen. Du, Jerome, nimmst ein Stück Papier und schreibst auf. Du, George, schaffst uns die Preisliste eines Geschäfts herbei, und irgendeiner soll mir einen Bleistift geben, dann will ich eine Liste entwerfen.«

So ist Harris' Methode immer gewesen. Zuerst nimmt er die ganze Last auf sich selbst; in Wahrheit aber lädt er sie ganz hübsch den andern auf den Rücken.

Er erinnert mich immer an meinen Onkel Podger. In meinem ganzen Leben habe ich kein ähnliches Durcheinander in einem friedlichen Hause gesehen, wie es meinem Onkel gelang, wenn er irgendeine Kleinigkeit zu tun unternahm. Wenn zum Beispiel ein Porträt vom Einrahmen zurückgekommen war und im Speisesaal an der Wand lehnte, um aufgehängt zu werden, und meine Tante Podger fragte, was nun damit geschehen solle, so pflegte Onkel Podger zu sagen: »Oh! Überlaßt das nur mir, kümmert euch nicht darum: das werde ich alles schon machen.«

Dann zieht er den Rock aus und beginnt. Er schickt das Hausmädchen fort, um für einen halben Schilling Nägel zu holen, und dann schickt er ihr einen der Jungen nach, um ihr noch sagen zu lassen, von welcher Größe die Nägel sein müssen.

In dieser Weise setzt er nach und nach das ganze Haus in Bewegung.

»So, jetzt gehst du und holst mir einmal einen Hammer, Willy«, kommandiert er, »und du, Thomas, bringst mir einen Maßstab oder Lineal, dann brauche ich auch die Leiter, und ein Küchenstuhl dazu würde auch nichts schaden. Und du, Jakob, du gehst geschwind zu Herrn Goggels und sagst ihm: Pa läßt sich ihm empfehlen und hofft, es gehe mit seinem Fuß besser, und ob er ihm nicht seine Wasserwaage leihen könne?«

»Und du, Marie, lauf doch nicht weg! Du mußt mir ja das Licht halten, und wenn das Mädchen zurückkommt, muß sie noch einmal fort, um eine Bilderschnur zu kaufen, und du, Thomas – wo ist denn Thomas? Tom, du kommst her und reichst mir das Porträt herauf.«

Dann nimmt er das Porträt auf und läßt es richtig fallen; darüber geht der Rahmen auseinander, und indem er das Glas retten will, schneidet er sich in den Finger; dann rennt er im Zimmer herum und sucht sein Taschentuch. Aber er kann es nirgends finden, weil er es in seiner Rocktasche hat und nicht mehr weiß, wo er den Rock hingehängt hat; und das ganze Haus muß nun alles liegen und stehen lassen und anstatt nach seinen Werkzeugen nach seinem Taschentuch auf die Suche gehen, während er überall herumrennt und jedermann hindert.

»Weiß denn niemand im Haus, wo mein Rock ist? In meinem ganzen Leben habe ich keinen solchen Haufen Leute beieinander gesehen wie ihr. Auf mein Wort, so was wie ihr ist mir noch nie vorgekommen. Sechs seid ihr und könnt alle miteinander meinen Rock nicht finden, den ich vor fünf Minuten erst ausgezogen habe? Weiß Gott! Euch alle sollte man . . .«

Dann fährt er in die Höhe und bemerkt bei der Gelegenheit, daß er darauf gesessen hat.

»Ihr Dummköpfe«, schreit er, »laßt doch euer Suchen! Ich habe ihn längst selber gefunden!

Könnte ebensogut der Katze sagen, meinen Rock zu suchen, als solch ein Volk zu bitten . . . «

Nach einer halben Stunde ist dann sein Finger verbunden, ein neues Glas ist über dem Bild angebracht, und das Handwerkszeug und die Bockleiter und der Küchenstuhl und das Licht, kurz, alles ist herbeigeschafft, und die ganze Familie, das Hausmädchen und die Aufwärterin mit eingeschlossen, stehen im Kreise herum, um ihm zu helfen. Zwei von ihnen müssen den Stuhl halten, ein dritter muß ihm hinaufhelfen und ihn halten, ein vierter ihm den Nagel reichen, ein fünfter den Hammer, dann nimmt er den Nagel, läßt ihn aber fallen.

»So ! Da habt ihr's!« ruft er nun aufs höchste beleidigt aus, »nun ist der Nagel zum Teufel!«

Dann lassen sich alle auf ihre Knie nieder und rutschen auf dem Boden herum, um den Nagel wiederzufinden; währenddessen steht er steif auf dem Stuhl und brummt und schimpft und fragt, ob er denn den ganzen Abend da auf dem Stuhl stehen und warten solle?

Zuletzt wird der Nagel gefunden, aber inzwischen hat er den Hammer verloren.

»Wo ist der Hammer? Wo habe ich den Hammer hingelegt? Gott im Himmel! Sieben von euch stehen da, reißen Augen und Mäuler auf, und keiner weiß, wo ich den Hammer hingelegt habe?«

Nun wird der Hammer gefunden; inzwischen hat er das Zeichen für den Punkt, wo der Nagel eingeschlagen werden soll, aus den Augen verloren, und einer um den anderen von uns muß auf den Stuhl steigen und sehen, ob er ihn nicht finden kann; und dann pflegt er uns alle als hirnverbrannt zu bezeichnen, wenn jeder von uns das Zeichen an einer anderen Stelle findet, und schickt uns alle nacheinander wieder hinunter – und dann nimmt er den Maßstab noch einmal, und findet, daß er von der Ecke aus 31 3/9 Zoll abmessen sollte, und das nun im Kopf berechnen und kriegt es nicht fertig und wird immer konfuser, je länger er rechnet.

Und dann wollten auch wir es im Kopf ausrechnen, und jeder brachte eine andere Lösung heraus, und wir verhöhnten uns gegenseitig. Und in der allgemeinen Aufregung wurde die ursprüngliche Zahl vergessen, und Onkel Podger mußte von vorn anfangen.

Diesmal nun nahm er eine Schnur, aber in dem kritischen Moment, da er sich in einem Winkel von fünfundvierzig Grad über den Stuhl hinausbeugte und einem Punkt zustrebte, der drei Zoll außerhalb seiner Reichweite lag, entschlüpfte dem alten Herrn die Schnur, und er polterte auf das Klavier hinab, das uns bei diesem Anlaß einen höchst effektvollen Ohrenschmaus zum besten gab, da Onkel Podgers Kopf und Rumpf sämtliche Tasten angeschlagen hatten.

Aber das Donnerwetter, das jetzt losbrach! – Tante Marie erklärte, sie wolle den Kindern nicht länger erlauben, dabeizustehen und eine solche Sprache mit anzuhören.

Zuletzt fand Onkel Podger doch den Punkt wieder und hielt den Daumen der linken Hand darauf, während er nun mit der rechten Hand den Hammer ergriff; mit dem ersten Streich traf er dann auch richtig seinen Daumen und warf den Hammer mit einem Wehgeschrei jemandem auf die Füße.

Tante Marie bemerkte milde, das nächstemal, wenn Onkel Podger wieder einen Nagel einschlagen wolle, werde er es ihr hoffentlich zuvor sagen, damit sie auf eine Woche zu ihrer Mutter ziehen könne.

»Oh, Ihr Weiber!« pflegte dann mein Onkel, indem er sich stolz aufrichtete, auszurufen. »Ihr macht immer gleich solche Geschichten! Aber ich – nun, ich habe auch meine Freude an solch einem kleinen Spaß!«

Hierauf versuchte er es noch einmal, und beim zweiten Schlag ging der Nagel flott durch die Wand und der Hammer auch noch zur Hälfte, und Onkel Podger flog mit dem Kopf so heftig dagegen, daß seine Nase plattgedrückt wurde.

Dann mußten wir den Maßstab und die Schnur

wiederfinden, und es wurde ein neues Loch gemacht; und so gegen Mitternacht hing dann das Porträt, sehr schief zwar und unsicher, und die Wand sah auf mehrere Meter aus, als sie sie mit einem eisernen Rechen gekämmt worden, und jedermann war zum Umsinken matt und elend – ausgenommen Onkel Podger.

»So!« rief er aus, »fertig ist's!« und warf dabei sich in die Brust und der Aufwärterin den Stuhl auf die Hühneraugen. »Manche Leute hätten sich zu einem solchen Geschäft einen Tapezierer kommen lassen! Was?«--

Mit E. P. BUTLER (1869 bis 1937) kommt ein amerikanischer Humorist zu Wort, der mit seiner grotesken Meerschweinchen-Geschichte die Bürokratie aufs Korn nimmt und allen Besitzern dieser ach so reizenden Tierchen die Gefahren aufzeigt, die sich mit einem Pärchen dieser Gattung ergeben können.

E. P. BUTLER

Schwein ist Schwein

Viel vom amerikanischen Güterfernverkehr wird durch die Oberland- Transportgesellschaften besorgt. In jedem Marktflecken haben diese Gesellschaften ihren Vertreter, der die Waren entgegennimmt oder ausliefert. Platzvertreter der Expreß-Co. in Westcote, Wisconsin, Mike Flannery. Vor ihm stand ein Kunde, Herr Morehouse, und bebte vor sprachloser Wut. Zwischen beiden auf dem Zahltisch war eine Seifenschachtel aufgebaut, in der zwei scheckige Meerschweinchen gefräßig Salatblätter knabberten.

»Tun Sie also, was Sie wollen!« schrie Flannery. »Zahlen Sie dafür und nehmen Sie sie mit oder zahlen Sie nicht und lassen Sie sie da! Vorschriften sind Vorschriften, Herr Morehouse, und Mike Flannery gehört nicht zu denen, die dagegen verstoßen.«

»Aber zum Teufel«, schrie Morehouse zurück, »können Sie denn das hier nicht lesen, in Ihren eigenen gedruckten Preissätzen: Haustiere, zahm, 25 Cents pro Stück?« Indem er seine Stimme zu einer gekünstelten Ruhe zwang, sagte er langsam, mit betont beißendem Spott: »Haustiere, Ha-us-tie-re! 25 Cents das Stück. Zweimal 25 macht 50! Können Sie das begreifen? Ich biete Ihnen 50 Cents !«

Flannery griff nach dem Transporttarif. »Und ich nehme keine 50 Cents«, flüsterte er mit verhaltener Wut. »Hier steht die Verhaltungsmaßregel: ›Wenn der Vertreter im Zweifel ist, welcher von beiden Sätzen in Anwendung kommen soll, ist der höhere anzusetzen. Der Warenempfänger kann Einspruch wegen Überforderung erheben.‹ In diesem Fall bin ich im Zweifel. Haustiere mögen diese Tiere hier ja sein, zahm sind sie gleichfalls, aber sie sind auch Schweine, und meine Tarifvorschriften sagen: Schweine von New York nach Westcote: 30 Cents das Stück.«

»Sie armer, unwissender Ausländer!« schnaubte Morehouse, »damit sind doch gewöhnliche Schweine gemeint, keine Meerschweine. «

»Schwein ist Schwein«, erklärte Flannery unbeirrt. »Das Ursprungsland des Schweines bedeutet keinen Unterschied im Beförderungspreis, Herr Morehouse.«

»Es ist ein Skandal!« brüllte Morehouse. »Ihr Vorgesetzter wird das Nötige zu hören bekommen! Behalten Sie die Schweine, bis Sie bereit sind, fünfzig Cents dafür anzunehmen. Aber bei Gott, werter Herr, wenn ein Haar auf dem Kopf eines der beiden Schweine gekrümmt ist, werde ich das Gesetz gegen Sie mobil machen.«

Er schritt würdevoll hinaus. Flannery hob sorgfältig die Seifenschachtel vom Zahltisch. Er war nicht beunruhigt. Er fühlte den Frieden, der einen getreuen Diener überkommt. Herr Morehouse ging indessen wütend nach Hause. Sein Junge, der auf die Meerschweinchen sehnsüchtig gewartet hatte, begriff sofort, daß er nicht nach ihnen fragen durfte.

»Wo ist Feder und Tinte?« rief Morehouse seiner Frau zu, kaum daß er die Türschwelle überschritten hatte. »Ich werde es diesem verrückten Kerl schon einbrocken. Wenn seine Gesellschaft diesen Brief erhält, wird er sich nach einem anderen Posten umsehen müssen.«

Eine Woche später erhielt Herr Morehouse die Antwort: »Wir bestätigen den Empfang Ihres an den Vorsitzenden unserer Gesellschaft gerichteten Schreibens betreff Tarifsätze für den Transport von Meerschweinchen von New York nach Westcote. Alle Reklamationen wegen Überforderung bitten wir an unsere Rechtsabteilung zu senden.«

Herr Morehouse sandte der Rechtsabteilung eine sechs Seiten lange Auslese von Spott und

Beweisführung. Ein paar Wochen später antwortete die Rechtsabteilung:

»Ihr an unsere Abteilung gerichteter Brief betreff Tarifsatz für Meerschweine hat uns erreicht. Unser Vertreter in Westcote unterrichtet uns, daß Sie Hinterlegung des Betrages ablehnten. Sie besitzen deshalb keine Ansprüche gegen diese Abteilung und Ihren Brief betreffend richtigen Tarifsatz bitten wir an unsere Tarifabteilung zu richten.«

Herr Morehouse schrieb an die Tarifabteilung, wobei er ein oder zwei Seiten aus dem Lexikon zitierte, um zu beweisen, daß Meerschweinchen keine gewöhnlichen Schweine sind. Mit der Sorgfalt, die für gut durchorganisierte Gesellschaften in den Staaten bezeichnend ist, lief dieser Brief durch alle vorgeschriebenen Kanäle, wurden verbucht und die dazu gehörigen Unterlagen wurden ihm beigeheftet.

Der Leiter der Tarifabteilung legte seine Füße auf den Schreibtisch und gähnte. Er sah flüchtig die Papiere durch. »Fräulein Watson«, sagte er dann, »schreiben Sie bitte: An die Vertretung in Westcote. Bitte geben Sie Auskunft, warum bei dem in beigehefteten Papieren erwähnten Versandgut der Tarif zahme Haustiere verweigert wurde.«

Er sah noch einmal die Papiere durch! »Hu! Meerschweinchen!« sagte er. »Vermutlich inzwischen verhungert. Fügen Sie noch hinzu: Geben Sie Auskunft über den derzeitigen Zustand der Versandware.«

Als Mike Flannery diesen Brief erhielt, kratzte er sich den Kopf. »Geben Sie Auskunft über den derzeitigen Zustand!« wiederholte er nachdenklich. »Was wollen die dort wohl wissen? Die Schweine sind bei guter Gesundheit, soviel ich davon verstehe, aber ich war nie Tierarzt. Vielleicht möchten sie, daß ich den Viehdoktor kommen und besagten Schweinen den Puls fühlen lasse.« Um sicher zu sein, sein Bericht decke sich auch mit den Tatsachen, schaute Flannery in den Verschlag. »An Herrn Morgan, Leiter der Tarifabteilung«, schrieb er sodann. »Warum ich sage, Meerschweinchen seien Schweine? Weil sie Schweine sind und das bleiben, bis Sie mir sagen, sie seien keine. So lautet das Vorschriftsbuch. Was ihre Gesundheit anbetrifft, so sind sie alle wohlauf und hoffe das gleiche von Ihnen. – P. S. Es sind jetzt ihrer acht, alle tüchtige Fresser. P. P. S. Ich verauslagte 2 Dollar für Kohl. Soll ich Rechnung darüber einsenden?«

Als er diesen Brief erhielt, lachte Morgan. Er las ihn noch einmal und wurde dann ernst. »Weiß der Himmel!« sagte er, »Flannery hat recht: Schwein ist Schwein. Ich werde Fachauskunft darüber einholen müssen. Inzwischen, Fräulein Watson, schreiben Sie: ›An den Vertreter in

Westcote. Betrifft Versand von Meerschweinchen, siehe Liste A 6754, Vorschrift 83, Anleitungen für Agenten, erteilt deutlich die Weisung, der Vertreter habe sämtliche Lager, Unterhalts- usw. Kosten vom Warenempfänger einzuziehen. Schreiten Sie zum Inkasso.‹«

Flannery erhielt diesen Brief am nächsten Morgen. »Ich und um zwei Dollar fünfzig bei Herrn Morehouse zum Inkasso schreiten!« sagte er leise. »Ich möchte wissen, ob diese Bürohengste Herrn Morehouse kennen!«

Flannery fuhr mit dem Wagen der Expreß Co. bei Herrn Morehouse vor. »Aha«, rief Morehouse, als er sah, wer es war. »Also sind Sie doch endlich zur Vernunft gekommen, was? Bringen Sie die Schachtel herein.«

»Ich habe keine Schachtel«, sagte Flannery kühl. »Ich habe eine Rechnung für Herrn John Morehouse über 2 Dollar 50 für Kohl, den seine Meerschweinchen gefressen haben. Wollen Sie bar bezahlen?«

Als Antwort warf ihm Herr Morehouse die Türe vor der Nase zu. Flannery sah vorwurfsvoll die Türe an. »Anscheinend lehnt der Empfänger Bezahlung der Kohlköpfe ab«, sagte er.

Herr Morgan, der Leiter der Tarifabteilung, zog den Vorsitzenden zu Rat. Der Vorsitzende wollte die Sache zuerst von der leichten Seite nehmen. »Wie lauten die Tarifsätze?« fragte er. – »Schweine 30 Cents, zahme Haustiere 25 Cents«, sagte Morgan. »Dann sind natürlich Meerschweinchen Schweine«, sagte der Vorsitzende. –»Jawohl«, pflichtete ihm Morgan bei, »ich sehe die Sache ebenso an. Ein Gegenstand, der unter zwei Tarifsätze fallen kann, fällt natürlich unter den höheren. Aber sind nun Meerschweinchen wirklich Schweine? Sind sie nicht Karnickel?«

»Genau besehen«, sagte der Vorsitzende, »sind sie meiner Ansicht nach mehr Karnickel. Eine Art Bindeglied zwischen Schwein und Karnickel. Ich glaube, die Frage lautet: Gehören Meerschweinchen der Familie der Stallschweine an oder nicht? Ich werde Professor Gordon fragen. Lassen Sie die Unterlagen da!« Der Vorsitzende schrieb an Professor Gordon. Unglücklicherweise befand sich der Professor gerade in den höchsten Anden und sammelte zoologische Arten, so daß der Brief viele Monate brauchte, ehe er ihn erreichte. Der Vorsitzende vergaß die Meerschweinchen. Morgan vergaß sie, Herr Morehouse vergaß sie, aber Flannery vergaß sie nicht. Die Hälfte seiner Zeit war nunmehr ihnen gewidmet. Lange bevor Professor Gordon den Brief des Vorsitzenden erhielt, empfing Morgan einen von Flannery:

»Was diese Meerschweinchen betrifft, was soll ich tun? Sie führen ein fruchtbares Familienleben, es sind jetzt ihrer 32. Soll ich sie verkaufen oder halten Sie Ihre Niederlage in Westcote für eine

Menagerie? Antworten Sie rasch!« Morgan telegraphierte: »Schweine nicht verkaufen.« Dann schrieb er an Flannery und machte ihn darauf aufmerksam, die Schweine seien nicht etwa Eigentum der Gesellschaft, sondern würden lediglich bis zur Beilegung eines schwebenden Tarifstreites zurückgehalten.

Flannery betrachtete die Meerschweinchen und seufzte. Der Käfig war zu klein geworden. Er zäunte die rückwärtige Hälfte des Büros ab. Er arbeitete mit fieberhafter Hast auf seinen Geschäftsgängen, denn die Schweine beanspruchten das meiste seiner Zeit. Einige Monate später ergriff er in Verzweiflung ein Blatt Papier, schrieb »160« quer darüber und sandte es an Morgan. Morgan schickte es mit der Bitte um Aufklärung zurück. Flannery antwortete: »Jetzt 160 Meerschweinchen, um Himmels willen, lassen Sie mich einige davon verkaufen. Oder wollen Sie, daß ich verrückt werde?«

»Keine Schweine verkaufen«, drahtete Morgan.

Nicht lange danach erhielt der Vorsitzende Nachricht von Professor Gordon. Der lange und gelehrte Brief hob hervor, das Meerschweinchen sei Cavia porcellus, während das gewöhnliche Schwein der Gattung Sus von der Familie Suidae angehöre.

»Sie sind also keine Schweine«, sagte der Vorsitzende zu Morgan. »Der 25-Cents-Tarif ist zuständig.« Morgan machte den entsprechenden Eintrag auf die Papiere und leitete sie an die Abrechnungsabteilung weiter. Die Abrechnungsabteilung schrieb nach der üblichen Wartezeit an Flannery, er solle, da er 160 Meerschweinchen, das Eigentum eines Kunden, in Verwahrung habe, diese zur Ablieferung bringen und dafür eine Gebühr von 25 Cents pro Stück kassieren. Flannery wandte einen Tag daran, seine Pfleglinge zu zählen, indem er sie durch einen engen Durchlaß im Käfig pferchte. »An die Abrechnungsabteilung«, schrieb er dann. »Mag sein, daß es einmal 160 Meerschweinchen waren, aber ich habe jedenfalls jetzt bereits an die 800. Wie steht es mit den 64 Dollar, die ich für Kohl verausgabt habe?«

Viele Briefe gingen hin und her, ehe die Abrechnungsabteilung verstehen konnte, wieso der Irrtum begangen worden war, 160 Meerschweinchen statt 800 in Rechnung zu stellen, und noch mehr Briefe, um herauszubekommen, was unter »Kohl« zu verstehen war.

Flannery war jetzt auf ein paar Quadratmeter im Vorderteil des Büros eingeschränkt, und zwei Jungen waren dauernd damit beschäftigt, für die Schweinchen zu sorgen. Am Tag, nachdem Flannery sie gezählt hatte, kamen acht neue dazu, und zu der Zeit, als ihm endlich die Abrechnungsabteilung Vollmacht erteilte, für 800 einzukassieren, hatte er aufgehört, sich noch um die Entgegennahme oder Auslieferung von Waren zu kümmern. Er baute Laufgänge um das Büro herum, Stockwerk um Stockwerk. Er hatte jetzt für 4064 Meerschweinchen zu sorgen. Täglich kamen neue an.

Sofort nach Übersendung ihrer Vollmacht sandte die Abrechnungsabteilung einen weiteren Brief, aber Flannery war zu beschäftigt, um ihn zu öffnen.

Sie schrieben noch einen, dann telegraphierten sie: Irrtum in Meerschweinchenrechnung. Kassiert für 2 Stück 50 Cents. Liefert sämtliche an Auftraggeber.« Flannery las das Telegramm und ging den ganzen Weg zum Haus des Herrn Morehouse zu Fuß. Am Zaun blieb er plötzlich stehen. Ein Schild über dem Eingang besagte: »Zu vermieten.« Das Haus stand leer. Flannery rannte den ganzen Weg zu dem Expreßbüro zurück. 60 Schweinchen waren während seiner Abwesenheit geboren worden. Er lief wieder hinaus und zog fieberhaft Erkundigungen im Ort ein. Herr Morehouse war nicht nur um-, sondern weggezogen. Er drahtete der Abrechnungsabteilung: »Kann nicht kassieren. Empfänger unbekannt verzogen. Was soll ich tun?«

Ein Angestellter der Rechnungsabteilung lachte, als er das Telegramm las. »Flannery muß verrückt geworden sein«, meinte er. Er sollte wissen, daß das vorschriftsmäßig Richtige ist, die

Versandware im Falle der Unbestellbarkeit hierher zurückgehen zu lassen.« Er telegraphierte Flannery.

Flannery machte sich verzweifelt ans Werk. Die sechs Buben, die er angestellt hatte, machten sich gleichfalls ans Werk. Sie arbeiteten mit der Hast Verzweifelter, indem sie Verschläge zurechtzimmerten. Tag um Tag flossen die Käfige voll Meerschweinchen als steter Strom von Westcote nach New York. Am Ende der Woche hatten sie 280 Kisten verschickt und im Büro waren 704 Schweinchen mehr, als zur Zeit des Beginns.

»Stoppt Schweinchenversand, Lagerhaus voll« – kam ein Telegramm. Flannery hörte nur gerade so lange mit dem Einpacken auf, um zu antworten: »Kann nicht stoppen. Mit dem nächsten Zug kam ein Beauftragter der Gesellschaft mit der Weisung an, den Strom von Meerschweinchen um jeden Preis zu stoppen. Wie sein Zug einfuhr, sah er einen Viehwagen auf dem Nebengleis stehen. Als er das Expreßbüro erreichte, sah er den Expreßwagen vor der Tür vorgefahren. Sechs Buben trugen Strohkörbe voll Meerschweinchen aus dem Büro heraus und entleerten sie in den Wagen. Drinnen schaufelte Flannery, ohne Jacke und Weste, in Hemdärmeln mit einer Holzschaufel Meerschweinchen in Körbe.

Er blickte zu dem Beauftragten mit einem Anflug von Zorn hoch.« »Eine Wagenladung mehr und ich bin sie los, und nie mehr werden Sie Mike Flannery mit ausländischen Schweinen einfangen. Nein, mein Lieber! Das nächste Mal werde ich wissen, daß ein Schwein, von welchem Ursprungsland immer es sein mag, ein zahmes Haustier ist – und zum billigsten Satz befördert wird.«

Er fing wieder eifrig zu schaufeln an. Dann machte er gerade lange genug eine Pause, um einen der Buben seinen Korb hinstellen zu lassen. Nur noch ein paar Meerschweinchen waren übrig. Wie er die abnehmende Zahl wahrnahm, kehrte seine alte Gewohnheit, alles von der lustigen Seite zu sehen, wieder: »Nun, jedenfalls«, sagte er gutgelaunt, »es ist nicht so schlimm, wie es hätte sein können Was aber, wenn diese Schweinchen Elefanten gewesen wären?«

Eine »Kettenreaktion« ganz anderer Art wie in der vorhergehenden Geschichte schildert der als Satiriker weitbekannte EPHRAIM KISHON (geb. 1924 in Ungarn, neugeboren 1949 in Israel, wie er schreibt), dessen köstliche Satiren aus Israel »Drehn sie sich um, Frau Lot!«, »Arche Noah, Touristenklasse«, »Wie unfair, David!« u.a. außerordentlichen Beifall finden. Dem erstgenannten Buch entstammt die nachfolgende Geschichte.

EPHRAIM KISHON

Kettenreaktion

Niemand zwingt den Neueinwanderer in Israel, ein Kibbuzidealist zu werden. Auch dem privaten Unternehmertum öffnet sich in unserem winzig kleinen Land ein unabsehbar weites und fruchtbares Feld.

Im allgemeinen erfreut sich der Kaufmann hierzulande keiner ganz so hohen Achtung wie, sagen wir, in den Vereinigten Staaten, vielleicht weil er im Umgang mit seiner Kundschaft nicht ganz so korrekt ist. Niemals werde ich jenen Schuhmacher in der Bronx vergessen, der in seinem Fenster ein großes Plakat mit derAufschrift hängen hatte: »Hier werden Ihre Schuhe repariert, während Sie warten.« Er brauchte zur Reparatur meiner Schuhe drei volle Monate, aber es läßt sich nicht leugnen, daß ich während dieser drei Monate tatsächlich auf die Reparatur gewartet habe. Amerikanische Handwerker arbeiten sehr sorgfältig.

In England weiß jeder Vater mit ziemlicher Sicherheit, was sein Sohn einmal werden wird: Bäcker, Industrieller, Staatsbeamter, Sozialist, Lord (oder beides). Nicht so bei uns. Bei uns wissen nicht einmal die Erwachsenen, womit sie am nächsten Tag ihren Lebensunterhalt verdienen werden. Es kann geschehen, daß ein Bürger auf der Straße nach einer Adresse gefragt wird – und von da an betätigt er sich als Fremdenführer.

Ich, um endlich aufs Thema zu kommen, erzeuge seit neuestem Waschmaschinen. Ursprünglich hatte ich Bildhauerei gelernt und war infolgedessen als Nachtwächter tätig, bevor ich den Beruf eines Schriftstellers ergriff. Und vielleicht wäre ich noch immer Elektromechaniker, wenn uns die Spiegels damals nicht eingeladen hätten.

Es war ein kühler Sonntagabend, als wir die Spiegels besuchten und uns zwei Stunden lang so tödlich langweilten wie nie zuvor. Ich sage das ungern, denn die Spiegels, besonders Aurel, sind nette Leute und liebenswürdige Gastgeber. Aber irgendwie ging uns der Gesprächsstoff aus, und um zehn Uhr abends konnten wir unsere Augen nur noch mit Hilfe von Daumen und Zeigefinger offenhalten Um halb elf schliefen auch meine Finger ein, und es wurde mir unweigerlich klar, daß wir sofort aufbrechen mußten, weil ich sonst nicht mehr die Kraft hätte, meine Frau zu wecken. Unter Mobilisierung aller noch vorhandenen Energie erhob ich mich und teilte unseren Gastgebern mit, daß wir sie nunmehr verlassen würden.

»Nein, das dürfen sie nicht!« In jähem Schreck fuhr Frau Spiegel aus ihrem Schlummer hoch. »Warum die Eile?«

»Es tut mir leid«, stammelte ich. »Trotzdem... wir müssen jetzt unbedingt gehen . . . weil . . . nun ja . . . ich habe eine wichtige geschäftliche Verabredung. Es tut mir wirklich leid. «

»Sei nicht ungemütlich«, sagte Aurel Spiegel. »Die Leute können warten.«

Es glückte mir, meiner Stimme einen halbwegs glaubhaften Unterton von Trauer beizubringen:

»Ich würde ja selbst viel lieber hierbleiben. Aber was hilft's. Und wenn wir uns nicht beeilen, versäumen wir noch den letzten Bus.«

Wohin wollt ihr denn so spät?«

»Nach Petach Tikvah.* Dort habe ich nämlich meine Verabredung. Leider . . .«

---

* Petach Tikvah liegt zwölf Meilen von Tel Aviv entfernt – eine sehr beträchtliche Entfernung für Israel, wo in den Eisenbahnzügen Warnungstafeln angebracht sind: »Es ist verboten, sich nach Jordanien hinauszulehnen«.

»Na schön.« Aurel resignierte. »Dann bringe ich euch also mit dem Wagen zur Haltestelle.«

»Nein, nein!« protestierte ich. »Bitte nein! Wir wollen euch keine Mühe machen.«

»Lächerlich«, sagte Aurel und hatte bereits den Mantel angezogen.

Als wir an der Haltestelle aus seinem Wagen stiegen, bedankten wir uns sehr herzlich, warteten noch ein paar Sekunden und machten uns dann zu Fuß auf den Weg nach Hause.

Wir hatten nicht mit Aurels goldenem Herzen gerechnet. Schon stoppte er den Wagen und kam herangelaufen:

»Wohin denn, ihr Kretins? Das ist ja gar nicht die Haltestelle für den Bus nach Petach Tikvah!«

Damit faßte er uns unter, der Gute, und führte uns zur richtigen Haltestelle, wo keine Menschenseele mehr zu sehen war. Aurel ließ sich die Mühe nicht verdrießen und studierte sorgfältig den schlecht beleuchteten Fahrplan. Ein Seufzen entrang sich seiner Kehle:

»Mein Gott, der letzte Bus ist vor fünf Minuten abgefahren. Das ist ja schrecklich. Jetzt versäumt ihr unseretwegen diese wichtige Verabredung!«

»Macht nichts«, begütigte ich. »So wichtig war sie gar nicht.«

»Doch, doch. Sonst hättest du ja nicht zum Aufbruch gedrängt. Weißt du was? Ich fahre euch in meinem Wagen hin.«

»Das erlaube ich nicht!« rief ich gepeinigt. »Auch Gastfreundschaft muß ihre Grenzen haben!«

»Kein Wort weiter«, entschied Aurel. »Ich könnte heute nacht nicht schlafen, wenn ich euch jetzt nicht sofort nach Petach Tikvah führe ...«

Und so fuhren wir los. Während der ganzen Fahrt knieten meine Frau und ich im Fond, die Augen starr auf die langsam entschwindenden Lichter von Tel Aviv gerichtet, schwarze Verzweiflung im Herzen.

Petach Tikvah lag in lieblichem Mondschein, als wir ankamen.

»Wohin genau?« fragte Aurel und unterdrückte ein Gähnen.

Mein Hirn begann fieberhaft zu arbeiten. Die einzige Adresse, die ich in Petach Tikvah kannte, war das Hotel Grienspan. Und auch das nur, weil dort einmal einer meiner Gläubiger gewohnt hatte. Ich wandte mich an Aurel:

»Bitte laß uns beim Grienspan aussteigen.«

Endlich waren wir aus dem Wagen draußen, bedankten uns nochmals für Aurels überwältigende Güte und betraten das Hotel. Ein mißgelaunter Nachtportier empfing uns.

»Nur einen kleinen Augenblick«, sagte ich, indem ich ihm zuzwinkerte. »Wir gehen gleich wieder.«

Während wir noch dastanden und auf das

Geräusch des anfahrenden Autos warteten, begann mein Eheweib plötzlich zu wanken:

»Er kommt zurück«, wimmerte sie.

Da setzte sich auch schon die Drehtür in Bewegung, Aurel trat ein, erklärte, das ihn ein wenig fröstle, und verlangte eine Tasse Tee.

Der Portier wurde noch um einige Grade mißgelaunter:

»Was ist hier los? Wen suchen Sie eigentlich?«

»Wer? Ich?«

»Ja, Sie.«

»Wenn Sie *mich* meinen – ich habe hier eine Verabredung mit einem gewissen . . . also kurz und gut . . . und den muß ich sofort sprechen.«

»Wie heißt er?«

»Was heißt das: wie heißt er? Ach ja . . . richtig. Sie wollen seinen Namen wissen. Herschkowitz, wenn ich nicht irre. Tatsächlich. Ist Herr Herschkowitz schon angekommen?« »Jawohl«, antwortete der Portier. »Er ist hier.«

»Bitte schauen Sie noch einmal nach«, sagte ich mit erhobener Stimme. »Er *muß* hier sein. Ich habe eine Verabredung mit ihm. «

»Ich sage Ihnen ja, daß er hier ist. Auf Nummer 23.«

»Das ist wieder einmal echt Herschkowitz. Ich hätte geschworen, daß er nicht kommen würde.«

»Aber er *ist* gekommen«, röhrte der Portier.

»Wie oft soll ich Ihnen noch sagen, daß er hier ist?!«

»*Wer* ist hier?«

»Herschkowitz. Auf Nummer 23. Ich werde ihn sofort rufen.« Und ehe ich es verhindern konnte, hatte er nach dem Telephon gegriffen: »Herr Herschkowitz? Entschuldigen Sie die Störung ... ich mußte Sie leider wecken ... jemand ist hier, der Sie dringend zu sprechen wünscht.« Er hielt die Muschel zu und wandte sich an mich: »Herschkowitz will wissen, um was es sich handelt?«

»Eine persönliche Angelegenheit«, antwortete ich. »Streng vertraulich.«

Als Herschkowitz die Stiege herunterkam, im Pyjama und mit halb geschlossenen Augen, hatte ich das Gefühl, daß mein Kragen mit einemmal um zwei Nummern zu klein wäre. Auf der Stirn meiner Ehegattin sammelten sich mit unglaublicher Schnelligkeit zahllose kleine Schweißperlen. Wir schielten beide nach der Tür. Nur Aurel saß da und schlürfte behaglich seinen Tee.

Herschkowitz trat mit unheilkündender Miene auf uns zu. Plötzlich aber, wie durch einen Zauberschlag, heiterte sein Gesicht sich auf.

»Hallo, alter Junge!« rief er strahlend zu Aurel hinüber. »Was machst denn du hier? Das ist aber eine frohe Überraschung!«

Nur die nächsten Minuten waren die beiden

Freunde damit beschäftigt, sich gegenseitig auf den Rücken zu schlagen, während wir unseren glasigen Blick auf die Türe geheftet hielten. Schließlich erfuhr Herschkowitz von Aurel, daß eigentlich wir es waren, die mit ihm sprechen wollten.

»Was wünschen Sie von mir?« fragte mich Herschkowitz mit freundlichem Lächeln.

»Tja – das ist nicht so einfach. Rauchen Sie?«

»Nein.«

»Ich auch nicht. Früher habe ich Pfeife geraucht, aber mein Arzt –«

» Was wünschen Sie von mir?«

»Also, Herr Herschkowitz – ich habe Interesse.«

»Interesse an was?« »Sie wissen doch . . .«

»An den Waschmaschinen?«

»Natürlich!« jauchzte ich auf. »An den Waschmaschinen.«

»Dann kann ich Ihre Eile verstehen«, sagte Herschkowitz. »Ich werde sofort Neumann in Chaderah anrufen.«

»Bitte nicht jetzt«, sagte ich flehend. »Es ist schon spät. Wir können ja morgen mit Neumann sprechen.«

»Sind Sie verrückt? Morgen fliegt Neumann nach Mailand!«

Damit begann er an der Wählscheibe zu drehen, entschuldigte sich bei dem offenkundig erzürnten

Neumann, daß er ihn zu so später Stunde im Schlaf störe – aber der Mann aus Tel Aviv sei soeben angekommen, und vielleicht könnte man die Sache jetzt gleich unter Dach und Fach bringen.

Eine Minute später kam Herschkowitz an unseren Tisch und teilte uns mit, daß wir sofort nach Chaderah fahren müßten. Aurel würde sicherlich so freundlich sein, uns hinzubringen.

Aurel brachte uns hin. Neumann, allem Anschein nach ein cholerisches Temperament, ging sofort in medias res und informierte mich, daß dreißig Prozent der Aktien noch zu haben wären.

»Kaufen Sie – ja oder nein?«

»Ich . . . kann ich mir das noch ein wenig überlegen?«

»Wie Sie wünschen.« Neumann stand auf. »Nur um ganz sicher zu gehen, wollen wir jetzt noch Weingartner aufsuchen. Kommen Sie.«

»Ich brauche keinen Weingartner«, stieß ich heiser hervor. »Ich kaufe die Aktien.«

Nachher hatte ich noch alle möglichen Papiere zu unterzeichnen, aber das spielte sich bereits in einem rosafarbenen Nebel ab. Als es vorbei war, rüttelte ich meine Frau wieder ins Bewußtsein zurück, und bei Morgengrauen waren wir in Tel Aviv.

Auf dem Weg zu meinem Büro kaufte ich eine Zeitung. Balkendicke Lettern auf der Titelseite verkündeten, daß die »Neumann-Kishon Trust Company« in Chaderah die größte Waschmaschinenfabrik des Landes gegründet hatte. Solel Boneh* hatte zweiundvierzig Prozent der Anteile, Neumann achtundzwanzig Prozent, ich selbst dreißig Prozent. Die Fabrik, so hieß es, würde sofort die Produktion aufnehmen und den ganzen Mittleren Osten mit Waschmaschinen versorgen.

---

* Solel Boneh ist ein kapitalistisches Unternehmen der sozialistischen Gewerkschaften. Um sich ein Bild von seiner Größe zu machen, muß man sich vor Augen halten, daß der jüdische Staat einen untrennbaren Bestandteil von Solel Bonah bildet.

GÜNTER NEUMANN (1913 bis 1972), Schriftsteller, Komponist, Kabarettist, Hauptakteur des früheren Berliner Kabaretts »Die Insulaner«, bissiger Zeitgenosse à la Tucholsky, gibt im nachstehenden eine Probe der Berliner »Kodderschnauze«.

GÜNTER NEUMANN

Herr Kummer erzählt einen Witz

Ha! Jaja. Hm. Sein Se nich böse, Pollowetzer, aber den kannt' ich schon. Ich kannt'n allerdings nich mit Martini und zwei Oliven, aber ich kannt'n mit Menhett'n und zwei Kirschen. Aber die Poengte is genau so. Ja, das is ne Gabe, Witze zu erzählen. Is nich jedem gegeben. Also ich hör' doch nu den ganzen Tag die schönsten Witze, das bringt die Branche so mit sich, aber – kaum hab' ich gelacht, hab' ich schon wieder vergessen. Wie? Hat doch keinen Sinn, Pollowetzer. Hab' ich versucht, mir Witze zu notieren. Und nachher sitzen Se vor Ihrem Taschenkalender, und da steht »sprechender Papagei«, und den Witz dazu haben Se trotzdem vergessen. Wissen Se nich noch so'n Witz, Pollowetzer? Nee, den könn' Se hier nich erzählen! Jedenfalls jetz noch nich. In zwei Stunden vielleicht. Nämlich, unter uns, die Stimmung is'n bißchen flau. Is übrigens immer so, wenn man bei Posemanns eingeladen is. Nee,

Pollowetzer, am fetten Essen liegt das nich, so fett war's nu auch wieder nich. Wenn die Leute heute mit Kartoffelsalat ankommen, is das, gelinde gesagt, 'ne Frechheit. 's gibt doch alles. Na also. Dann sollen se sich keine Gäste einladen. Gießen Se uns doch noch mal ein, Pollowetzer. Doch, das könn Se ru'ch. Wenn der Hausherr sich nich kümmert. Der sitzt da drüben und poussiert mit der Vorführdame. Hat er aber kein Glück. Weiß ich aus Erfahrung. Also los, Pollowetzer, wie isses mit noch'm Witz? Die Gäste schlafen ja ein. Also wenn Sie keinen wissen, werd' ich meinen erzählen. Nee, ich glaube, den kenn Se noch nicht. Und die andern Herrschaften kenn ihn vielleicht auch noch nich. Den mit dem Sommertag? Und der Taube? Na sehn Se. Doch, 'nee Frau, Sie können ru'ch zuhören, is hochanständig. Also. Da sitzt 'n junger Mann eines Mittags auf einer Bank im Park. Und wie er da so sitzt und seine Zeitung liest, nein! – er ißt sein Frühstücksbrot – vielleicht hat er auch trotzdem Zeitung gelesen. Sie wissen ja, wenn man allein is, also ich jedenfalls kann gar nich essen, ohne zu lesen, wie er also – dankeschön, sehr liebenswürdig! Nein, das ist mein Glas! Nich doch, das daneben, ja, vielen Dank, danke – wie er also da sitzt, sehr zum Wohl ! Zum Wohl ! Wohlsein! Prost! – ah, das tut gut. Kost jetz einundzwanzig Mark die Flasche, isses aber wert, echt französische Ware. Glaub' ich Ihnen nich, 'nee Frau, also verzeihen Sie, das glaub' ich Ihnen nich. Für fünfzehn Mark? ausgeschlossen. Dann sagen Sie mir das Geschäft. Gut, dann isses aber nicht der. Es gibt ja tausend Imitationen. Der echte Boooooools – na, ich will nich mit Ihnen streiten, Meine'dichste, vielleicht kriegen Sie'n Ihrer schönen Augen wegen zum Einkauf. Also wie denn auch sei, der junge Mann sitzt auf der Bank im Park und ißt sein Brot.

Bitte? Liest Zeitung, ganz recht, hatt' ich ja schon gesagt. Auf einmal kommt 'ne Taube angeflogen – nein, danke, geht beim besten Willen nicht. Danke vielmals. Hallo! Moment! Is das Blätterteig? Dann nehme ich also doch dis, recht schönen Dank, stellen Sie's nun da hin, warten Se ma, ich schieb' die Gläser beiseite, sooo, sehn Se, nu gehts schon. Blätterteig macht nämlich nich dick, ich muß jetzt doch'n bißchen vorsichtig sein. Also. Der junge Mann sitzt auf seiner Bank und ißt seine Zeitung. Na ja, man kann sich doch mal versprechen. Auf einmal kommt also die Taube angeflogen und sagt: »Guten Tag, mein Herr, schönes Wetter heute!« Na, der junge Mann is natürlich sehr erstaunt, daß die Taube redet, er plaudert mit ihr 'ne Weile über alles mögliche, und schließlich sagt er: »Hören Se ma, wollen Sie nich morgen zum Kaffee zu mir kommen?« Die Taube sagt: »Gut, komm' ich morgen zum Kaffee!« – Was denn? Also, das is gut. Kaum sag' ich Kaffee, wird er schon serviert. Das klappt in diesem Hause. Dankeschön, stellen Sie die Tasse nur da hin. Warten Se, ich schieb' den Teller und die Gläser 'n bißchen – so nun geht's schon. Vielen Dank. – Also die Taube fliegt wieder weg, der junge Mann geht nach Hause und sagt zu seiner Frau - dankeschön, nur ganz wenig Sahne, schon genug, halt! Halt, dankeschön – sagt also zu seiner Frau – nein, keinen Zucker, Vielen Dank, ich find' immer, Kaffee verliert, wenn man – aber das is natürlich Geschmackssache. Ach weiß nur, ich hatte mal einen Kunden, der war zehn Jahre in Brasilien Kaffeeschmecker – auch'n Beruf, was? und der sagte immer, also der richtige Kaffeetrinker trinkt püüür. Na, aber jeder nach seiner Faßong. Also die Frau von dem jungen Mann is nu sehr neugierig, wen da ihr Mann eingeladen hat. Andern Tag is der Kaffeetisch gedeckt, und die beiden warten – hallo, Posemann, komm Se her, ich erzähl' grade 'ne nette Geschichte. Sie ham nu den Anfang nich mitgehört, da sitzt also 'n junger Mann im Park, und auf einmal kommt 'ne Taube, und die Taube lädt er zum Kaffee ein. Na, nun wirds halb fünf, die Taube kommt nich. Es wird dreiviertel fünf, die Taube kommt nich. Es wird fünf, die Taube – nee, das is mein Glas, Posemann, aber jetz, wenn ich bitten darf, mal lieber einen Harten. Zuviel von dem Likör soll man nich. So gut er schmeckt. Aber es gibt doch'n schweren Kopp, und Sie wissen ja, was morgen auf dem Spiele steht. Wenn wir das durchkriegen, Posemann, dann brauchen wir uns ums nächste Vierteljahr keine Sorgen zu machen. Natürlich isses 'ne Kreditfrage, deshalb will ich ja jetz lieber 'n Konjack. Also, es wird halb fünf, die Taube kommt nich. Prost! Ihr Wohl, Posemann. Hübscher Abend wieder mal. Is das Hennessy? Sehn Se, meine Zunge. Ich sage nämlich immer, Armanjak schmeckt nach Seife. Und Pollowetzer behauptet, er muß nach Seife schmecken, sonst isses kein richtiger Armanjak. Also, es wird dreiviertel fünf, die Taube kommt nich. Es wird fünf, da klingelt's, der junge Mann macht auf, und draußen auf der Treppe steht – das war eigentlich mein Kuchen, aber nehm Se'n ru'ch, Posemann, im Ernst, nehm se'n, Posemann, für mich isses sowieso besser, wenn ich nich soviel – außerdem kann ich mir nachher ja noch'n Stückchen geben lassen – ich will nur erst mal den Witz zu Ende – also draußen steht die Taube und sagt: »Entschuldigen Sie, daß ich so spät komme, aber es war so schönes Wetter, da bin ich zu Fuß gegangen!« Wieso, na und? Das war die Poengte. Die Taube sagt: »Entschuldigen Sie, daß ich so spät komme, aber ich bin zu Fuß gegangen, weil so schönes Wetter war!« Also *ich* habe sehr lachen müssen.

Auch Holland hat seine Meister des Feuilletons. Einer von ihnen ist SIMON CARMIGGELT (geb. 1913 in Den Haag), der mit Hilfe eines stämmigen Humors bezaubernd erzählt. In seinem Buch »Mach dir nichts draus« ist eine Anzahl seiner Geschichten vereinigt, die er seit fast zwanzig Jahren für die Zeitung schreibt. Zwei davon hier als Probe.

SIMON CARMIGGELT

Hallo, Taxi

Ein Pariser Taxichauffeur sitzt am Steuer wie ein Feldmarschall vor seiner Generalstabskarte, als absoluter Herrscher über die Masse verbogenen Metalls, die er in einer niemals langweilig werdenden Aneinanderreihung genialer Einfälle und gerade noch verhinderter Zusammenstöße durch den Verkehr rattern läßt.

Wenn er frei ist, können Sie ihn auf der Straße heranwinken. Er mustert Sie mit finster-forschendem Blick. Wenn er alsdann weiterfährt, so ist Ihr Gesicht unvorteilhafter, als Sie glaubten. Er hat beschlossen »Nein, diesen Kerl nicht!« Manchmal macht er jedoch eine Geste, die besagt: »Na schön, also hopp!«, und hält. Das ist mir wenigstens schon passiert.

Sie eilen zu ihm hin und probieren die Tür zu öffnen. Aber das gelingt Ihnen nur, wenn Sie schon seit Jahren in Paris wohnen und durch Erfahrung gelernt haben, wie Türklinken von etwa 1905 konstruierten Automobilen angefaßt werden müssen, damit sie ihre fast vergessene Bestimmung doch noch einmal erfüllen.

Während Sie nervös herumprobieren, bleibt der Chauffeur seelenruhig hinter dem Steuer sitzen. Er weiß, daß es sogar der größte Trottel am Ende fertigbringt, einzusteigen, und darin hat er recht. Der aus seinem Dornröschenschlaf aufgerüttelte Hebelmechanismus gehorcht schließlich zögernd seiner Pflicht, die Tür fällt gähnend weit auf, und Sie sagen: »Place de l'Odéon.«

Damit tritt die zweite Phase ein, und eine neue Perspektive der Möglichkeiten öffnet sich. Nur Narren und Kinder können annehmen, daß ein Pariser Taxichauffeur oberflächlich genug ist, einfach mechanisch überall hinzufahren; das ist ein possierlicher Irrtum, der nicht der empfindlichen, unberechenbaren romanischen Seele in einem solchen Manne gerecht wird. Ihr »Place de l'Odéon« nimmt er in den Mund, um es aufmerksam abzuschmecken. Er überlegt: »Sollte ich wirklich hinfahren?« Was ihn nach kurzer Zeit der Selbstbesinnung zur Erklärung bewegt, nicht hin zu wollen, kann ich Ihnen unmöglich sagen. Vielleicht findet er es zu weit oder zu nah, oder die Gegend liegt ihm nicht – Gott wird es wohl wieder wissen, aber ich kann nur bezeugen, daß ich mehr als einmal einen Korb bekommen habe.

Wird jedoch das Jawort gegeben, so folgt eine

neue Eigentümlichkeit des Taxiverkehrs in der Lichtstadt. Der Chauffeur flitzt nämlich davon, ehe Sie sich hingesetzt haben, wodurch der Fahrgast mit dem Kopf in die Polsterung fällt, ein an und für sich nicht gefährlicher Sturz, auf den allerdings Träger von Brillen und Zwickern vorbereitet sein müssen.

Während das Auto dahinsaust, kriechen Sie in die Höhe und placieren den dafür geeigneteren Körperteil auf das Polster. Nun sitzen Sie, ehrlich gesagt, doch sehr behaglich in einem erstaunlich gut funktionierenden Fahrzeug, das Ihrer Laune zufolge zum Quartier Latin rast. Nur eine Zigarette fehlt noch zu Ihrem Glück. Sobald Sie eine erste Rauchwolke ausstoßen, sagt der Chauffeur streng:

»Wo haben Sie das Streichholz gelassen?«

»Ich habe es in die Schachtel zurückgesteckt, monsieur.« Kurzes Schweigen. Dann knurrt er: »Und keine Asche auf den Boden werfen!« »Non, monsieur.«

Nun befinden sich aber keine Aschenbecher im Auto, und die Fenster können schon seit 1913 nicht mehr heruntergelassen werden – aber nur ein Griesgram nimmt davon Notiz. »Wo einWille ist, ist auch einWeg«, pflegte mein Lehrer zu sagen. Darum formen Sie aus Ihrer Linken eine Höhlung und streifen darin die Asche ab. Zuerst tut es ein bißchen weh, aber auf der Place de l'Odéon können Sie alles auf den Asphalt werfen, einschließlich des brennenden Stummels, der gerade anfing, die Nägel Ihrer anderen Hand zu versengen.

»Hundertsechzig Franken«, ertönt es.

Sie geben zweihundert und rufen:

»Au revoir, monsieur.«

Aber sogar der Präsident der französischen Republik kann Ihnen nicht sagen, warum daraufhin kein einziger Pariser Taxichauffeur zurückgrüßt.

Konfitüre in Grindelwald

Die Firstbahn in Grindelwald führt zu einem Café, das zweitausend Meter über dem Meeresspiegel liegt. Eigentlich ist sie ein mitten durch die Alpen gespanntes Kabel, an dem hier und da zwei zusammengenietete Sessel hängen. Unten im hölzernen Bahnhof nehmen der Mann und ich in diesen Sesseln Platz und zeigen einem Individuum mit Dienstmütze die Fahrkarten vor, das daraufhin an einem Seil zieht. Sofort kommt Bewegung in die Sitze. Das Gebäude spuckt uns aus, und einige Augenblicke später schweben wir lautlos durch die Luft.

»Sicher auch Holländer?« nimmt der Mann im zweiten Sessel mit verständnisvollem Lächeln an.

Er sitzt im Universum, als wartete er beim Steuereinnehmer, bis er an die Reihe käme.

»Ja«, gestehe ich etwas enttäuscht, denn Holländer sehen sich nicht gerne ähnlich. Es ist genau so eine Frage wie »Sie sind sicher Lehrer?« – dann lautete die gereizte Antwort auch immer: »Ja, können Sie es mir vielleicht ansehen?«

Der Mann nickt befriedigt. Was Gulliver erblickte, als der Riese ihn in die Höhe hob, ist für mich keine ungelöste Frage mehr, denn wenn ich an mir selbst herunterschaue, sehe ich, wie meine Arme und Beine wehrlos und in häuslicher Gemütlichkeit durch die Luft schweben. Es ist eine Art Himmelfahrt für Unbefugte über saftige Weiden mit kakaofarbenem Vieh, das willig die Köpfe schüttelt, um das im Prospekt versprochene Glockengeläute ertönen zu lassen.

»Haben Sie es mit Ihrem Hotel gut getroffen?« fragt der Mann vertraulich.

»Ich kann nicht klagen«, sage ich. »Ich wohl«, erklärt er mit hängenden Mundwinkeln. »Ich bekomme jeden Morgen Konfitüre.«

Still gleiten wir nun über einen unermeßlichen Abgrund. Leben ist Atmen, sagt ein Dichter, aber manchmal ist es auch Atemanhalten. Dort drüben stürmen die Bäume wieder in dunklem Zuge den Berg hinauf, aber man kann die Grenze ihrer Kraft deutlich erkennen. Darüber erhebt sich »des

Todes maßlos dunkle Wand« kahl und finster zum weißen Triumph des Gipfels.

»Jeden Morgen«, fährt der Mann fort. »Aber ich mag keine Konfitüre. «

Er spricht im gekränkten Tonfall eines Schafes, das keine Wolle vertragen kann.

»Und Sie?« will er wissen.

»Ach. . .«, schwanke ich.

»Einmal kann man ja ein Auge zudrücken«, sagt er mit wegwerfender Handbewegung in die Unendlichkeit. »Schließlich ist man auf Reisen, und da muß man sich eben behelfen. Aber jeden Morgen. . .«

Er versinkt in sorgenvolles Schweigen. Wir schweben jetzt über eine Hütte, die einsam in einer Wiese zwischen Enzian und Alpenrosen liegt. Durch das Dachfenster erhasche ich den Anblick eines alten Mannes, der mit aufgesperrtem Munde vor einem kleinen Spiegel steht. Sicher will er seinen eigenen Atem sehen, denke ich.

»Außerdem ist es eine Mistkonfitüre«, beharrt mein Nachbar. »Wissen Sie, so eine rote, glitschige, abscheulich-süße. Heute morgen sagte ich zu dem französischen Kellner: Non, nix confiture, aber der Kerl tut so, als ob er einen nicht versteht!«

Wir sind jetzt so hoch, daß wir in den von oben kommenden Nebel geraten, der langsam aber sicher das Panorama unserer Sicht entzieht. Das zwillingshafte Schweben durch einen undurchdringlichen weißen Dunst, der uns wie einen Kokon einhüllt, bekommt plötzlich etwas Geheimnisvolles. Ziel: Mond. Dabei spreche ich nicht einmal die Sprache.

»Ich bin an ein Ei gewöhnt, und darum will ich auch hier ein Ei haben«, sagt mein Sesselgenosse im Nebel. »Auf dem Reisebüro haben sie gesagt, daß ich wählen könnte. Jeden Morgen etwas anderes, verstehen Sie? Aber nachdem man bezahlt hat, tun sie, als ob man verrückt geworden sei. Und dann muß man eben Konfitüre herunterwürgen.«

Pengtschumbumm – nein, wir fallen nicht, wir schwenken nur ins Reiseziel. Plötzlich ist der Dunst verschwunden. Man kann hier Tee trinken und Brötchen essen, mit Konfitüre fürchte ich. Ich behalte den Gesprächigen, der mich auf dem Hinwege begleitete, scharf im Auge. Er ist noch in seine Esserei vertieft, während ich schnell in den Retoursessel neben einem Weltbürger mit persischen Mandelaugen und einem Schnurrbart à la Dali springe. Kaum sind wir aber unterwegs, da erklingt seine Stimme: »Sicher auch Holländer?«

»Ja.«

»Haben Sie es mit Ihrem Hotel gut getroffen?«

Mit einem durch die ganze Schweiz hallenden

Jammerschrei stürzte ich mich in den bodenlosen Nebel. Aber meine Stunde hatte noch nicht geschlagen. Mit einem Ruck wachte ich zu Hause am Frühstückstisch auf, rieb mir die Augen, tauchte meine Feder in die Konfitüre und schrieb dieses Geschichtchen.

JAMES THURBER (1894 bis 1961), amerikanischer Satiriker von einzigartiger Prägung, ist in Deutschland durch seine Kurzgeschichtenbücher »Rette sich wer kann!« und »Achtung, Selbstschüsse!« bekannt geworden, in denen er als kritischer Moralist die Zeiterscheinungen des amerikanischen Lebens glossiert. Ein Glanzstück seines psychologisch-scharfsinnigen und bissigen Humors ist die nachfolgende Geschichte aus »Rette sich, wer kann!«

JAMES THURBER

Walter Mittys Geheimleben

»Wir stoßen durch!« Die Stimme des Flugkapitäns klang wie das Brechen dünnen Eises. Er trug Paradeuniform und hatte die goldbetreßte weiße Mütze unternehmend über das linke kalte graue Auge gezogen.

»Nicht zu schaffen, Sir, wenn Sie mich fragen Es sieht verdammt nach einem Orkan aus!«

»Ich frage Sie aber nicht, Leutnant Berg«, sagte der Kapitän.

»Scheinwerfer! Rauf auf dreitausend mit ihr! Wir stoßen durch!«

Das Stampfen der Zylinder nahm zu: Tapockete – pocketa – pocketa – pocketa. Der Kapitän starrte auf die sich vor der Führerkanzel bildende Eisschicht. Er ging rüber und drehte an einer Reihe komplizierter Schalter.

»Hilfsmaschine 8 anwerfen!« rief er.

»Hilfsmaschine 8 anwerfen«, wiederholte Leutant Berg.

»Volle Kraft in Maschine 3!« so rief der Kapitän.

»Volle Kraft in Maschine 3!«

Die Mannschaft des dahinbrausenden riesigen achtmotorigen Wasserflugzeugs ging eilends an die Ausführung der Befehle und grinste.

»Der Alte wird's schon schaffen«, raunten sie sich zu.

»Der Alte nimmt's mit dem Teufel auf!« . . .

»Nicht so schnell, du fährst wieder zu schnell!« sagte Mrs. Mitty.

»Warum fährst du denn bloß so schnell?«

»Hmm?« machte Walter Mitty. Er sah seine neben ihm sitzende Frau mit aufschreckendem Erstaunen an. Sie schien ihm gänzlich fremd, eine fremde Frau, die ihm aus einer Menge etwas zugerufen hatte.

»Du bist schon wieder 90 gefahren«, sagte sie. »Du weißt doch, daß ich es nicht vertragen kann, wenn du rascher als 65 fährst. Du bist schon 90 gefahren!« Walter Mitty fuhr schweigend auf Waterbury zu. Das Heulen der SN 202 durch den schlimmsten Sturm in 20 Jahren Marinefliegerei verebbte in den entlegenen und geheimen luftigen Höhen seines Gedankenfluges.

»Du hast wieder einen deiner Tage und fährst ganz verkrampft«, sagte Mrs. Mitty. »Du sollst dich wirklich einmal von Renshaw untersuchen lassen.«

Walter Mitty bremste vor dem Gebäude, in dem seine Frau ihren Friseur aufsuchen wollte.

»Denk' bitte daran, daß du dir die Überschuhe besorgst, während ich beim Friseur bin«, sagte sie.

»Ich brauche keine Überschuhe«, sagte Mitty.

Sie steckte den Spiegel wieder in die Handtasche: »Das haben wir doch alles schon x-mal besprochen«, sagte sie und stieg aus dem Wagen. »Du bist kein Jüngling mehr.«

Er ließ den Motor an.

»Warum hast du deine Handschuhe nicht an? Hast du deine Handschuhe verloren?« Walter Mitty langte in die Tasche und brachte seine Handschuhe zum Vorschein. Er zog sie an, sobald sie aber den Rücken gewandt und sich in das Gebäude begeben hatte, zog er sie wieder aus. Er war auf Rot angefahren und stoppte dabei kurz.

»Los, los, weiterfahren« bellte ein Verkehrspolizist, als das Licht wechselte. Mitty fummelte hastig an seinen Handschuhen herum und fuhr wieder an. Er fuhr eine Weile ziellos in den Straßen herum und kam auf seinem Weg an der Klinik vorbei.

». . . Es handelt sich um den Bankier Wellington Macmillan«, sagte die hübsche Schwester. »So«,

sagte Walter Mitty langsam seine Handschuhe ausziehend. »Wer behandelt?«

»Dr. Renshaw und Dr. Benbow, aber es sind noch zwei Spezialisten da, Dr. Remington aus New York und Mr. Pritchard Mittford flog aus London herüber.«

Am Ende eines langen kühlen Korridors öffnete sich eine Tür, und Dr. Renshaw trat heraus. Er sah besorgt und abgespannt aus.

»Hallo, Mitty«, sagte er. »Macmillan, der millionenschwere Bankier und vertraute Freund Roosevelts macht's uns verteufelt schwer. Obstreose der Drüsenkanäle im dritten Grad. Wäre nett, wenn du ihn dir mal ansehen wolltest.«

»Gern, selbstverständlich«, sagte Mitty.

Im Operationssaal stellte man sich flüsternd vor. »Dr. Remington – Dr. Mitty«, »Mr. Pritchard Mittford – Dr. Mitty. «

»Ich habe Ihr Buch über Streptothricose gelesen«, sagte Pritchard Mitford und schüttelte Mitty die Hand. »Eine hervorragende Leistung, Sir.«

»Sehr freundlich«, sagte Walter Mitty.

»Wußte nicht, daß Sie in den Staaten sind, Mitty«, brummelte Remington.

»Mitford und mich wegen eines Tertiärstadiums auch noch hierher zu lotsen, das heißt dann doch Eulen nach Athen tragen!«

»Zu viel Ehre, zu viel Ehre«, sagte Mitty.

Eine riesige, mit dem Operationstisch verbun-

dene, komplizierte Apparatur mit vielen Röhren und Drähten begann in diesem Augenblick pocketa – pocketa – pocketa zu machen.

»Der neue Anesthaesier-Apparat!« rief ein Assistent. »und weit und breit keiner, der sich mit diesem Ding auskennt!«

»Nur ruhig, Mann!« sagte Mitty leise und kühl. Er sprang zur Apparatur, die jetzt pocketa – pocketa – quiek – pocketa – quiek machte. Er fingerte vorsichtig an verschiedenen blitzenden Knöpfen herum.

»Geben Sie mir einen Füllfederhalter!« stieß er hervor.

Jemand reichte ihm einen Füllfederhalter. Er wechselte einen fehlerhaften Kolben aus und setzte den Füllhalter dafür ein. Das wird's zehn Minuten tun«, sagte er, »operieren Sie weiter.«

Eine Schwester eilte herbei und flüsterte, Renshaw etwas zu. Mitty sah, wie er blaß wurde.

»Die Coreopse hat eingesetzt«, sagte Renshaw erregt. »Ich wäre Ihnen dankbar, wenn Sie den Fall übernähmen, Mitty!« Mitty sah ihn an und warf einen Blick auf den ratlosen resignierenden Benbow und die besorgten skeptischen Gesichter der beiden berühmter Spezialisten.

»Wenn Sie meinen«, sagte er.

Sie warfen ihm einen weißen Kittel über, er band sich die Maske um und zog die Gummi-

handschuhe an. Die Schwester reichte ihm die blitzenden Instrumente . . .

. . . »Halt, halt Mensch, sehen Sie denn nicht den Buick! « Walter Mitty riß die Bremse an. »Wo wollen Sie denn hin, Mensch«, sagte der Parkplatzwächter und sah Mitty vorwurfsvoll an.

»Verdammt, ja«, stotterte Mitty und fuhr langsam auf der mit »Ausfahrt« bezeichneten Fahrbahn rückwärts.

»Lassen Sie«, sagte der Wächter, »ich stelle ihn schon ein.«

Mitty stieg aus dem Wagen.

»He, geben Sie doch den Schlüssel!«

»Ach, ja«, sagte Mitty und gab dem Mann den Startschlüssel. Der Wächter schwang sich ans Steuer, fuhr mit beleidigender Eleganz rückwärts heraus und parkte den Wagen an der richtigen Stelle.

»Eingebildeter Affe«, dachte Walter Mitty und ging die Hauptstraße hinunter, »kommt sich verdammt klug vor.« Er hatte mal hinter New Milford die Schneeketten abnehmen wollen, und dabei hatten sie sich um die Achse gezogen. Jemand mußte herauskommen, und ein junger grinsender Autoschlosser hatte sie ihm dann losgemacht. Seit der Zeit ließ ihn Mrs. Mitty stets zu einer Garage fahren, um die Ketten dort abnehmen zu lassen. Das nächste Mal, dachte er, werde ich meinen rechten Arm in einer Schlinge tragen, damit sie mich nicht wieder so dämlich angrinsen. Ich werde meinen rechten Arm in der Schlinge tragen, damit sie gleich sehen, daß ich die Ketten gar nicht selber abnehmen kann. Er trat ärgerlich in den Matsch des Trottoirs. »Überschuhe« fiel ihm ein und er sah sich nach einem Schuhgeschäft um.

Als er, den Karton mit den Überschuhen unterm Arm, wieder auf die Straße herauskam, versuchte Walter Mitty sich zu erinnern, was das andere gewesen war, was seine Frau ihm noch zu besorgen aufgetragen hatte. Sie hatte es ihm zweimal gesagt, ehe sie von zu Haus fortgefahren waren. Diese wöchentlichen Stadtfahrten waren ihm verhaßt – immer machte er irgend etwas falsch. Cleanex Squibbs, Rasierklingen? Nein! Zahnpasta, Zahnbürste, doppeltkohlensaures Natron, Borax, Initiative, Referendum? Er gab es auf. Sie natürlich würde bestimmt daran denken. »Wo hast du das Dingsda?« würde sie fragen. »Sag' nicht, daß du das Dingsda vergessen hast.« Ein Zeitungsjunge lief vorbei und rief etwas über den Prozeß in Waterbury aus.

... »Vielleicht hilft das Ihrem Gedächtnis etwas auf.« Der Staatsanwalt hielt dem gelassen im Zeugenstand Stehenden plötzich einen schweren Revolver unter die Nase.

»Kennen Sie das Ding vielleicht zufällig?« Walter Mitty nahm die Maschinenpistole in die

Hand und betrachtete sie fachmännisch. »Das ist meine 50,80er Webley-Vickers«, sagte er ruhig. Ein aufgeregtes Murmeln durchlief den Zuhörerraum. Der Richter klopfte um Ruhe.

»Sie sind, soweit ich unterrichtet bin, ein Meisterschütze mit jeder Feuerwaffe?« sagte der Staatsanwalt hinterhältig.

»Ich erhebe Einspruch!« rief Mittys Verteidiger. »Wir haben nachgewiesen, daß der Angeklagte den Schuß nicht abgegeben haben kann. Wir haben nachgewiesen, daß er in der Nacht des 14. Juli seinen rechten Arm in der Binde trug. Walter Mitty hob kurz die Hand. Die streitende Anwaltschaft verstummte.

»Ich wäre in der Lage gewesen, Gregory Fitzhurst mit jeder beliebigen Waffe auf eine Entfernung von 300 m mit der Linken umzulegen.« Im Gerichtssaal brach ein Tumult aus. Eine Frau schrie hysterisch auf und plötzlich lag ein bezauberndes, dunkelhaariges Wesen in Walter Mittys Armen. Der Staatsanwalt fuhr wütend auf sie los. Ohne sich von seinem Stuhl zu erheben, versetzte Mitty ihm einen Kinnhaken. »Verfluchter Hund!«

. . . »Hundekuchen!« sagte Walter Mitty. Er blieb stehen und die Häuser Waterburys wuchsen aus dem dunstigen Gerichtssaal hervor und umgaben ihn wieder.

Eine vorübergehende Frau lachte, »Hundekuchen hat er gesagt«, sagte sie zu ihrem Begleiter.

»Hundekuchen hat er vor sich hingesagt!« Walter Mitty eilte weiter. Er ging in ein Warenhaus, nicht in das erste, an dem er vorbeikam, sondern in ein kleineres, etwas weiter die Straße hinauf. »Ich möchte gern Hundekuchen für Welpen«, sagte er zu dem Verkäufer.

»Eine bestimmte Marke, Sir?« Der berühmteste Pistolenschütze der Welt dachte einen Augenblick nach.

»Auf der Büchse steht ›Hündchens Wunschtraum‹«, sagte Walter Mitty.

Seine Frau würde in 15 Minuten beim Friseur fertig sein, – Mitty sah auf seine Uhr, – wenn sie nicht beim Trocknen Ärger hatten. Manchmal hatten sie beim Trocknen Ärger. Sie kam ungern als Erste im Hotel an; sie hatte es gern, wenn er dort schon wie gewöhnlich auf sie wartete. Er ging auf einen beim Fenster stehenden, großen Ledersessel in der Halle zu, legte den Karton mit den Überschuhen und den Hundekuchen daneben auf den Boden, ergriff eine alte Nummer der »Liberty« und ließ sich in den Sessel fallen.

»Kann Deutschland die Welt in der Luft besiegen?« Walter Mitty vertiefte sich in die Bilder der Bombenflugzeuge und Trümmerstraßen.

»Das Trommelfeuer ist dem jungen Raleigh an die Nieren gegangen, Sir», sagte der Unteroffizier. Hauptmann Mitty blickte unter seinem ins Gesicht gefallenen Haar zu ihm auf.

»Schicken Sie ihn zu Bett«, sagte er müde, »und die anderen auch! Ich fliege allein!«

»Unmöglich, Sir«, sagte der Unteroffizier erschreckt. »Diesen Bomber kann einer allein nicht fliegen und die Flak ist höllisch im Gange. Von Richtmanns Staffel macht die Gegend unsicher.«

»Einer muß auf alle Fälle das Munitionslager zudecken.«, sagte Mitty. »Ich fliege rüber. 'n Schluck Schnaps?« Er goß sich und dem Unteroffizier einen Schnaps ein. Draußen vorm Unterstand heulte und tobte die Schlacht und riß an der Tür. Plötzlich krachte und splitterte Holz durch den Raum.

»Die war nicht von Pappe«, sagte Hauptmann Mitty unbekümmert. »Das Sperrfeuer rollt immer näher«, sagte der Unteroffizier.

»Wir haben nur ein Leben zu verlieren, Unteroffizier«, sagte Mitty flüchtig lächelnd. »Was?« er stürzte einen zweiten Schnaps hinter.

»Was Sie auch bloß für Schnaps vertragen, Sir«, sagte der Unteroffizier. »Nichts für ungut, Sir.«

Hauptmann Mitty stand auf und schnallte seine riesige Webley-Vickers um.

»Sie haben 40 km Hölle vor sich, Sir«, sagte der Unteroflizier. Mitty trank einen letzten Schnaps.

»Na, was«, sagte er gelassen, »und wenn schon!*«*
Der Kanonendonner verstärkte sich. Das Ratatata der Maschinengewehre war zu hören und aus irgendeiner Ecke drohte das Pocketa-pocketa-

pocketa der Flammenwerfer. Walter Mitty ging auf die Tür des Unterstandes zu und summte »près de ma blonde.« Er wandte sich zurück und winkte dem Unteroffizier zu. »Servus!« rief er ...

Er spürte einen Schlag gegen die Schulter.

»Ich habe im ganzen Hotel nach dir herumgesucht«, sagte Mrs. Mitty. »Warum mußt du dich auch ausgerechnet in diesen alten Sessel verkriechen? Wie stellst du dir denn vor, daß ich dich finden soll?«

»Die Sache wird mulmig«, sagte Walter Mitty unbestimmt.

»Was?« sagte Mrs. Mitty. »Hast du die Dingsda? Hast du die Hundekuchen? Was ist in dem Karton?«

»Überschuhe«, sagte Mitty.

»Konntest du sie nicht im Laden gleich anziehen?«

»Ich war in Gedanken«, sagte Walter Mitty. »Du kannst dir wohl nicht vorstellen, daß ich an allerhand zu denken habe?« Sie sah ihn an.

»Wenn wir nach Hause kommen, muß ich mal messen, ob du Fieber hast«, sagte sie.

Sie gingen durch die Drehtür, die einen schwachen höhnischen Pfeifton von sich gab. Bis zum Parkplatz waren es noch zwei Blocks. An der Ecke beim Drugstore sagte sie, »Warte hier auf mich, ich habe was vergessen, ich bin in einer Minute wieder hier.« Es dauerte länger als eine

Minute. Walter Mitty steckte sich eine Zigarette an. Es fing an zu regnen, Schneeregen. Er lehnte sich an die Mauer neben dem Drugstore und rauchte.

. . . *Er warf seine Schultern zurück und riß die Hacken zusammen.*

»Zum Teufel mit der Binde«, rief Walter Mitty verächtlich. Er nahm einen letzten tiefen Lungenzug und schnickte die Zigarette weg. Dann sah er mit einem flüchtigen Lächeln um die Lippen in die Läufe des Exekutionskommandos, aufrecht, stolz und verachtungsvoll, Walter Mitty, der Unerschütterliche, unergründlich bis zuletzt.

Als Abschluß dieses Buches sei eine recht amüsante Geschichte von W. SOMERSET MAUGHAM (1874 bis 1965) gebracht, die »Heiteres und Weiteres« mit typisch englischem Humor in sich schließt. Maugham, einer der erfolgreichsten Autoren unserer Zeit, versteht es (so hieß es in einer Besprechung) »die ganze weite Skala der Beziehungen von Mensch zu Mensch, von den großartigsten Regungen der Empfindung bis zu den mechanischen Bewegungen des Herzens in seine Erzählungen einzuspannen.« Ist es so? Sie werden feststellen: es ist so!

W. SOMERSET MAUGHAM

Die Weihnachtsreise

Der Frachter »Friedrich Weber«, auf dem Kapitän Erdmann fuhr, verkehrte regelmäßig zwischen Hamburg und Cartagena an der Küste Kolumbiens. Unterwegs legte er an verschiedenen westindischen Inseln an.

Miss Reid war in Portsmouth an Bord gekommen. Sie besaß in einem bekannten Seebad im Westen Englands eine Teestube, die sie nach der Saison den Winter über schloß. Ihre Freundin Miss Price, die Tochter des verstorbenen Vikars von Campden, hatte sie ans Schiff begleitet.

»Ich hoffe, es macht Ihnen nichts aus, allein mit so vielen Männern zu reisen, Miss Reid«, sagte Kapitän Erdmann freundlich.

»Ich glaube, Captain, wenn eine Dame sich wie

eine Dame benimmt, benehmen sich auch die Herren wie Herren.«

»Wir sind nur eine Horde rauher Seeleute. Sie dürfen nicht zuviel erwarten.«

Es war wirklich ein großes Erlebnis für Miss Reid, so allein mit all den Männern zu sein. Diese armen Kerle, die so weit weg von daheim und ihren Familien waren, während Weihnachten vor der Tür stand! Sie war fest entschlossen, ein wenig Feierlichkeit in ihr eintöniges Leben zu bringen. Miss Reid war überzeugt, daß die anderen sie ebenso gern hatten wie umgekehrt.

Es war Pflicht des Kapitäns, höflich gegen einen Passagier zu sein, und so gern er ihr auch gesagt hätte, sie solle doch endlich ihren törichten Mund halten – denn sie war entsetzlich geschwätzig –, so durfte er das doch nicht. Selbst wenn es ihm freigestanden hätte, würde er es doch nicht über sich gebracht haben, ihre Gefühle zu verletzen. Nichts vermochte den Strom ihres Redeschwalls zu hemmen.

Einmal begannen die Männer in ihrer Verzweiflung, deutsch zu sprechen, aber Miss Reid fuhr sofort dazwischen: »Ich möchte nicht, daß Sie Dinge sagen, die ich nicht verstehe. Nützen Sie den glücklichen Umstand, daß Sie mich an Bord haben, und frischen Sie Ihre englischen Sprachkenntnisse auf.«

»Wir sprachen von technischen Dingen, die Sie

nur langweilen würden, Miss Reid«, erklärte Kapitän Erdmann.

»Ich langweile mich nie. Darum bin ich auch – halten Sie mich nicht für eingebildet, wenn ich das sage – nie langweilig. Mich interessiert alles.«

Der Schiffsarzt lächelte trocken: »Der Kapitän hat das nur gesagt, weil er verlegen war. In Wirklichkeit erzählte er eine Geschichte, die nicht für die Ohren einer Dame bestimmt war.«

»Wenn ich auch ein altes Mädchen bin, so erwarte ich doch nicht von Seeleuten, daß sie Heilige sind. Sie brauchen keine Angst zu haben, was Sie vor mir sprechen, Captain. Ich nehme keinen Anstoß.«

Am Nachmittag kam der Arzt in die Messe. Er fand den Kapitän und Hans Krause, den Maat, bei einem Glas Bier. »Nehmen Sie Platz, Doktor«, sagte der Kapitän. »Wir halten gerade Kriegsrat. Heute beim Mittagessen war Miss Reid geschwätziger denn je. Hans und ich haben beschlossen, daß etwas geschehen muß. Wir wollen unseren Weihnachtsabend in Ruhe genießen.«

»Und wie wollen Sie sie loswerden, ohne sie über Bord zu werfen?« lächelte der Doktor. »Sie ist eine gute alte Seele. Alles, was sie braucht, ist ein Liebhaber.«

»In ihrem Alter?« schrie Hans Krause.

»Gerade in ihrem Alter. Ihre Geschwätzigkeit,

dieses ewige Fragenstellen, die Art, wie sie ständig schnattert. . .«

Es war immer ein wenig schwierig, zu wissen, was der Doktor ernst meinte und wann er scherzte. Die blauen Augen des Kapitäns zwinkerten verschmitzt: »Ich habe großes Vertrauen in Ihre diagnostische Gabe. Das Mittel, das Sie vorschlagen, ist einen Versuch wert. Nun, Sie sind doch Junggeselle!«

»Verzeihung, Herr Kapitän, es ist nur meine Pflicht, meinen Patienten Arzneien zu verschreiben.«

»Ich bin ein verheirateter Mann mit erwachsenen Kindern«, sagte Kapitän Erdmann. »Von mir kann man nicht erwarten, daß ich eine solche Aufgabe übernehme.«

»Jugend ist in diesem Fall eine Grundbedingung und ein hübsches Äußeres der Sache förderlich«, meinte der Doktor.

Der Kapitän schlug mit der Faust auf den Tisch: »Sie denken an Hans. Sie haben ganz recht!«

Der Maat sprang auf: »Ich? Niemals!«

»Hans, du bist ein hübscher Bursche, tapfer und jung. Wir haben noch dreiundzwanzig Tage auf See. Du möchtest doch nicht deinen alten Kapitän, der sich auf dich in einer Notlage verläßt, oder deinen guten Freund, den Doktor, im Stich lassen?«

»Nein, Herr Kapitän, das ist zuviel verlangt.

Ich bin kaum ein Jahr verheiratet und liebe meine Frau.«

»Muß ich also dreiundzwanzig Tage lang das Gewäsch und die ewige Fragerei ertragen – muß ich, ein alter Mann, mir den Weihnachtsabend durch die unerwünschte Gesellschaft einer alten Jungfer verderben lassen, nur weil sich keiner findet, der einer einsamen Frau ein wenig Ritterlichkeit, ein wenig menschliche Güte erweisen will?« fragte Kapitän Erdmann.

»Da ist doch noch der Bordfunker«, versetzte Hans.

Der Kapitän stieß einen Pfiff aus. »Der Bordfunker soll sofort zu mir kommen.«

Der Bordfunker kam in die Messe und schlug schneidig die Hacken zusammen. Die drei Männer blickten ihn schweigend an. Er fragte sich unsicher, was er wohl angestellt haben mochte. Er war über den Durchschnitt groß, hatte breite Schultern und schmale Hüften, ein hübsches, volles Gesicht und einen dichten blonden Haarschopf.

»Wie alt bist du, mein Junge?« fragte der Kapitän. »Einundzwanzig.« – »Verheiratet?« – »Nein, Herr Kapitän.« – »Verlobt?« Der Bordfunker kicherte. Es lag eine gewinnende Jungenhaftigkeit in seinem Lachen. »Nein, Herr Kapitän.«

Erdmann setzte seine amtlichste Miene auf.

»Obwohl dieses Schiff ein Frachter ist, befördern wir auch Passagiere. Meine Instruktionen lauten, mein Möglichstes zu tun, damit die Passagiere zufrieden und glücklich sind. Miss Reid braucht einen Liebhaber. Der Doktor und ich sind zu dem Schluß gekommen, daß du der geeignete Mann dafür bist.«

»Ich, Herr Kapitän?« Der Bordfunker wurde feuerrot und begann dann zu kichern, nahm sich aber rasch zusammen. »Aber sie ist so alt, daß sie meine Mutter sein könnte.«

»Das hat in deinem Alter nichts zu sagen.«

»Wenn ich mir eine Frage erlauben darf, Herr Kapitän, warum will Miss Reid einen Liebhaber haben?«

»Es scheint ein alter englischer Brauch zu sein für unverheiratete Frauen, sich um die Weihnachtszeit einen Liebhaber zu wählen, und die Schiffahrtsgesellschaft wünscht, daß Miss Reid hier genauso behandelt wird wie auf einem englischen Schiff.«

»Herr Kapitän, ich muß bitten, mich zu entschuldigen.«

»Ich richte keine Bitte an dich, sondern einen dienstlichen Befehl. Du findest dich heute abend um elf Uhr bei Miss Reid in ihrer Kajüte ein.«

»Was soll ich dort tun?«

»Tun?« donnerte der Kapitän. »Tun? Natürlich handeln!«

Mit einer Handbewegung entließ er ihn. Der Bordfunker schlug die Hacken zusammen, grüßte und ging hinaus.

Am nächsten Tag, man saß bereits bei Tisch, als Miss Reid zum Lunch hereinkam. »Ich hatte vergangene Nacht ein so komisches Erlebnis. Ich kann es überhaupt nicht verstehen.« Zum erstenmal lauschten sie in atemlosem Schweigen ihren Worten. »Ich wollte gerade ins Bett gehen, als es an der Tür klopfte. ›Wer ist da?‹ fragte ich. ›Der Bordfunker‹, war die Antwort. ›Was gibt's?‹ – ›Kann ich Sie einen Augenblick sprechen?‹ fragte er.«

Alle hingen gespannt an Miss Reids Lippen. »›Ich schlüpfe nur eben in meinen Schlafrock‹, sagte ich und öffnete die Tür. Der Funker sagte: ›Verzeihen Sie, aber möchten Sie vielleicht ein Kabel absenden‹? Er sah so komisch aus. ›Nein, danke‹, sagte ich. Und dann: ›Gute Nacht, angenehme Ruhe‹, und ich schloß die Tür.«

»Der verdammte Narr!« murmelte der Kapitän. Nach dem Essen ließ er den Funker kommen. »Du Idiot, was hat dich veranlaßt, Miss Reid zu fragen, ob sie ein Kabel senden wolle?«

»Herr Kapitän, Sie haben mir gesagt, ich solle natürlich handeln. Ich bin Bordfunker. Ich hielt es für natürlich, sie zu fragen, ob sie ein Kabel senden wolle. Ich wußte nicht, was ich sonst hätte sagen sollen.«

»Du bist jung, hübsch, stattlich«, schnaufte der Kapitän. Die Ehre unseres Schiffes ruht in deinen Händen.«

»Sehr wohl, Herr Kapitän. Ich werde mein Möglichstes tun.«

An diesem Abend klopfte es erneut an Miss Reids Tür. »Wer ist da?« – »Der Bordfunker. Ich habe ein Kabel für Sie.« – »Schieben Sie's nur unter der Tür durch.«

Das Kuvert wurde unter der Tür durchgeschoben. Miss Reid riß es auf und las: »Fröhliche Weihnachten. Sie sind reizend. Ich liebe Sie. Ich muß Sie sprechen. Der Bordfunker.«

Miss Reid las das zweimal. Dann nahm sie ihre Brille ab und versteckte sie unter dem Kopfkissen. Sie öffnete die Tür. »Kommen Sie herein.«

Am nächsten Tag hatten die Stewards die Messe mit tropischen Schlingpflanzen als Ersatz für Tannen- und Mistelzweige dekoriert. Miss Reid erschien erst zur Abendfeier. Sie trug ein dezentes schwarzes Kleid und eine lange Jadekette um den Hals. Alle sahen sie erwartungsvoll an. Sie aß herzhaft, aber ohne ein Wort zu sprechen. Ihr Schweigen war unheimlich. Endlich hielt es Kapitän Erdmann nicht länger aus. Er stieß den Doktor unter dem Tisch mit dem Fuß an und flüsterte: »Etwas ist passiert! Sie ist ganz verwandelt.«

Im Lauf des Abends wurden alle ein wenig

beschwipst, auch Miss Reid, aber sie verlor ihre Würde nicht. Schließlich wünschte sie allen gute Nacht: »Es war ein reizender Abend. Nie werde ich meinen Weihnachtsabend auf einem deutschen Schiff vergessen. Ein richtiges Erlebnis.« Damit ging sie festen Schrittes zur Tür.

Als am nächsten Tag der Kapitän, der Maat, der Doktor und der Chefingenieur etwas benommen zum Essen kamen, saß Miss Reid bereits am Tisch. An jedem Platz lag ein Päckchen mit der Aufschrift »Fröhliche Weihnachten«. Sie warfen Miss Reid einen fragenden Blick zu. »Sie waren alle so nett zu mir, daß ich jedem von Ihnen ein kleines Geschenk machen wollte. Es gab nicht viel Auswahl in Port-au-Prince. Sie dürfen sich nicht zuviel erwarten.«

Für den Rest der Reise verwöhnten sie Miss Reid in unerhörter Weise. Obschon ihr Appetit vorzüglich war, suchten sie sie mit neuen Gerichten zu verlocken. Der Doktor bestellte Wein und bestand darauf, daß sie die Flasche mit ihm teilte. Sie spielten Domino, Schach und Bridge mit ihr, und sie ersuchten sogar, sie in lange Gespräche zu verwickeln. Schließlich ging die Reise ihrem Ende zu. Miss Reid packte ihren Koffer. Um zwei Uhr legten sie in Plymouth an. Der Kapitän, der Maat und der Doktor kamen, um sich von ihr zu verabschieden.

»Sie waren sehr lieb zu mir, ich weiß nicht, wie

ich das verdient habe. Ich war sehr glücklich mit Ihnen, und werde Sie nie vergessen.«

Sie sprach mit zitternder Stimme, sie versuchte zu lächeln, aber ihre Lippen bebten und Tränen rannen ihr die Wangen herab. Der Kapitän wurde sehr rot. »Darf ich Ihnen einen Kuß geben, Miss Reid?« Sie war um einen halben Kopf größer als er, beugte sich herunter, und er küßte sie herzhaft auf die nasse Wange. Dann wandte sie sich dem Maat und dem Doktor zu. Beide küßten sie.

»Was für eine alte Närrin bin ich doch. Alle sind so gut.« Sie trocknete ihre Augen und ging langsam über den Laufsteg. Als sie den Kai erreichte, drehte sie sich um und winkte. »Wem winkt sie?«, fragte der Kapitän.

»Dem Bordfunker.«

Miss Price stand wartend am Kai, um sie zu begrüßen. »Ich bin sehr gespannt, was du alles von deiner Reise zu erzählen weißt«, sagte Miss Price.

»Da gibt es nicht sehr viel zu erzählen.«

»Das kann ich nicht glauben. Deine Reise war doch geglückt?«

»Ausgesprochen geglückt sogar. Sie war sehr schön.«

»Und hat es dir nichts ausgemacht, mit all diesen Deutschen zusammen zu sein?«

»Man muß sich an ihre Art gewöhnen. Sie tun manchmal Dinge – die Engländer nicht tun würden, weißt du. Aber ich finde, man muß die Dinge nehmen, wie sie kommen.«

»Was für Dinge meinst du?«

Miss Reid sah ihre Freundin ruhig an. Ihr langes, törichtes Gesicht hatte einen friedlichen Ausdruck, und Miss Price merkte nicht, daß in den Augen ein mutwilliges Fünkchen tanzte. »Nicht wirklich wichtige Dinge. Nur eben komische, unerwartete, eigentlich recht nette Dinge. Es gibt keinen Zweifel: Reisen ist eine wunderbare Schule.«

Es sitzt ein Vogel auf dem Leim,
Er flattert sehr und kann nicht heim.
Ein schwarzer Kater schleicht herzu,
Die Krallen scharf, die Augen gluh.
Am Baum hinauf und immer höher
Kommt er dem armen Vogel näher.
Der Vogel denkt: Weil das so ist
Und weil mich doch der Kater frißt,
So will ich keine Zeit verlieren,
Will noch ein wenig quinquilieren
Und lustig pfeifen – wie zuvor!
Der Vogel, scheint mir, hat Humor!

WILHELM BUSCH

QUELLENNACHWEIS

(In alphabetischer Folge der Autoren)

M. Y. Ben-gavriêl: Neger mit Sommersprossen
Aus M. Y. Ben-gavriêl. Das anstößige Leben des großen Osman«, Ullstein-Taschenbuch 451. Rechte bei Frau H. Bochow-Blüthgen, München

Simon Carmiggelt: Hallo Taxi!-Konfitüre im Grindelwald
Aus Simon Carmiggelt »Mach dir nichts draus!«, © by Langen-Müller Verlag in der F. A. Herbig Verlagsbuchhandlung

Hermann Claudius: Grünhöker Grimpen
Abdruck mit Genehmigung des Autors

Lawrence Durrell: Das Fest auf dem Fluß
Aus Lawrence Durrell: »Esprit de Corps.« © 1968 by Rowohlt Verlag, GmbH, Reinbek

Hans Fallada: Gänseeier im Gehirn
Aus Hans Fallada »Gesammelte Erzählungen«. © by Rowohlt Verlag, Reinbek 1967

Jerome K. Jerome: Mein Onkel Podger
Aus Jerome K. Jerome »Drei Mann in einem Boot«, Ullstein-Taschenbuch 49. Mit Genehmigung der Verlag Ullstein GmbH, Frankfurt/M./Berlin

Ephraim Kishon: Kettenreaktion
Aus Ephraim Kishon »Drehn sie sich um, Frau Lot.« © by Langen-Müller Verlag in der F. A. Herbig Verlagsbuchhandlung

Siegfried Lenz: Der Ostertisch
Aus Siegfried Lenz »So zärtlich war Suleyken/Masurische Geschichte«. © by Hoffmann & Campe Verlag, Hamburg 1955

W. Somerset Maugham: Die Weihnachtsreise
Übersetzung und Abdrucksrechte: H. B. Wagenseil, Tutzing

Günter Neumann: Herr Kummer erzählt einen Witz
Aus Günter Neumann »Die Insulaner«. Lothar Blanvalet Verlag, Berlin

Hans Reimann: Mit Karl Valentin auf den Wendelstein
Aus Hans Reimann »Mein blaues Wunder/Lebensmosaik eines Humoristen«, erschienen im Paul List Verlag, München. Rechte bei Frau Wilma Reimann, Schmalenbeck b. Hamburg

Helmut Seitz: Rezept gegen Haferlgucker
Abdruck mit Genehmigung des Autors

Eugen Skasa-Weiß: Häßliche unter sich
Aus Eugen Skasa-Weiß »Wo versteckt man Liebesbriefe«. Goldmann-Taschenbuch 1739

Walter Slezak: Meine Erlebnisse mit Kannenmacher
Aus Walter Slezak »Wann geht der nächste Schwan?«, © R. Piper & Co. Verlag, München, 1968

Sigi Sommer: Kleine Reise rings im Kreise
Abdruck mit Genehmigung des Autors

James Thurber: Walter Mittys Geheimleben
Aus James Thurber »Was ist daran so komisch«. Ges. Erzählungen © 1971 by Rowohlt Verlag GmbH, Reinbek

Leider konnten nicht alle Rechte-Inhaber ermittelt werden. Berechtigte Honoraransprüche werden selbstverständlich abgegolten.

Weitere Titel aus der Reihe

RICHARZ GESCHENKBIBLIOTHEK

Kriminalliteratur

Die Einfalt des Pater Brown
G. K. Chesterton
160 Seiten ISBN 3-87585-709-7

Sherlock Holmes
Das gefleckte Band
und andere Geschichten
Sir Arthur Conan Doyle
128 Seiten ISBN 3-87585-711-9

Nach Art des Hauses
Stanley Ellin
128 Seiten ISBN 3-87585-712-7

Maigret und der Spion
Georges Simenon
182 Seiten ISBN 3-87585-751-8

Maigret verliert eine Verehrerin
Georges Simenon
210 Seiten ISBN 3-87585-750-X

Die Gräfin von Ascot
Edgar Wallace
256 Seiten ISBN 3-87585-736-4

Weitere Titel aus der Reihe

RICHARZ GESCHENKBIBLIOTHEK

Erzählungen und Romane

Träumereien an französischen Kaminen
Richard von Volkmann-Leander
150 Seiten ISBN 3-87585-720-8

Nachtflug
Antoine de Saint-Exupéry
140 Seiten ISBN 3-87585-756-9

Novellen
Theodor Storm
„Der Schimmelreiter" und
„Pole Poppenspäler"
270 Seiten ISBN 3-87585-718-6

Sternstunden der Menschheit
Stefan Zweig
290 Seiten ISBN 3-87585-742-9

Heitere Romane

Gespräche mit Janos
Utta Danella
140 Seiten ISBN 3-87585-744-5

Ohne Oma geht es nicht
Inge Dillenburger
160 Seiten ISBN 3-87585-758-5

Noch´n Gedicht und andere Ungereimtheiten
Heinz Erhardt
130 Seiten ISBN 3-87585-757-7

Auf einmal sind sie keine Kinder mehr oder Die Zeit am See
Barbara Noack
130 Seiten ISBN 3-87585-760-7